NEXUS Edu
LEVEL CHART

분야	교재	초1	초2	초3	초4	초5	초6	중1	중2	중3	고1	고2	고3
VOCA	초등필수 영단어 1-2·3-4·5-6학년용	📖	📖	📖	📖	📖	📖						
VOCA	The VOCA + (플러스) 1~7					📖	📖	📖	📖	📖	📖	📖	
VOCA	THIS IS VOCABULARY 입문·초급·중급			📖	📖	📖	📖	📖	📖	📖			
VOCA	THIS IS VOCABULARY 고급·어원·수능 완성·뉴텝스								📖	📖	📖	📖	📖
Grammar	초등필수 영문법 + 쓰기 1~2			📖	📖	📖							
Grammar	OK Grammar 1~4			📖	📖	📖							
Grammar	This Is Grammar 초급~고급 (각 2권: 총 6권)					📖	📖	📖	📖	📖	📖	📖	📖
Grammar	Grammar 공감 1~3						📖	📖	📖	📖			
Grammar	Grammar 101 1~3						📖	📖	📖	📖			
Grammar	Grammar Bridge 1~3 (개정판)						📖	📖	📖	📖			
Grammar	중학영문법 뽀개기 1~3						📖	📖	📖	📖			
Grammar	The Grammar Starter, 1~3						📖	📖	📖	📖	📖		
Grammar	구사일생 (구문독해 Basic) 1~2									📖	📖	📖	📖
Grammar	구문독해 204 1~2									📖	📖	📖	📖
Grammar	그래머 캡처 1~2								📖	📖	📖	📖	
Grammar	Grammar.Zip 1~2									📖	📖	📖	📖
Grammar	[특단] 어법어휘 모의고사									📖	📖	📖	📖

분야	교재	초1	초2	초3	초4	초5	초6	중1	중2	중3	고1	고2	고3
Writing	도전만점 중등내신 서술형 1~4						📖	📖	📖	📖			
	영어일기 영작패턴 1-A, B · 2-A, B				📖	📖	📖	📖	📖				
	Smart Writing 1~2				📖	📖	📖	📖	📖	📖			
Reading	Reading 101 1~3						📖	📖	📖	📖	📖		
	Reading 공감 1~3						📖	📖	📖	📖	📖		
	This Is Reading Starter 1~3						📖	📖	📖	📖	📖		
	This Is Reading 전면 개정판 1~4						📖	📖	📖	📖	📖		
	This Is Reading 1-1 ~ 3-2 (각 2권; 총 6권)					📖	📖	📖	📖	📖	📖		
	원서 술술 읽는 Smart Reading Basic 1~2						📖	📖	📖	📖			
	원서 술술 읽는 Smart Reading 1~2									📖	📖	📖	
	[특단] 구문독해									📖	📖	📖	📖
	[특단] 독해유형									📖	📖	📖	📖
Listening	Listening 공감 1~3						📖	📖	📖	📖			
	The Listening 1~4				📖	📖	📖	📖	📖	📖			
	After School Listening 1~3						📖	📖	📖	📖			
	도전! 만점 중학 영어듣기 모의고사 1~3						📖	📖	📖	📖			
	만점 적중 수능 듣기 모의고사 20회·35회									📖	📖	📖	📖
TEPS	NEW TEPS 기본편 실전 300+ 청해·문법·독해						📖	📖	📖	📖			
	NEW TEPS 실력편 실전 400+ 청해·문법·독해								📖	📖	📖	📖	
	NEW TEPS 마스터편 실전 500+ 청해·문법·독해								📖	📖	📖	📖	📖

기초 독해의 확실한 해결책

THIS IS
READING

Starter

③

THIS IS READING Starter 3

지은이 김태연
펴낸이 최정심
펴낸곳 (주)GCC

출판신고 제 406-2018-000082호 ①
10880 경기도 파주시 지목로 5
전화 (031) 8071-5700 팩스 (031) 8071-5200

ISBN 979-11-89432-21-8 54740
　　　 979-11-89432-18-8 （SET）

가격은 뒤표지에 있습니다.
잘못 만들어진 책은 구입처에서 바꾸어 드립니다.

www.nexusEDU.kr
www.nexusbook.com

기초 독해의
확실한 해결책

THIS IS
READING

김태연 지음

Starter
3

NEXUS Edu

PREFACE

저는 초등학교, 중학교 다닐 때를 생각하면 떠오르는 게 파인애플과 팝송, 그리고 영어책입니다. 아빠가 출장 다녀오시면서 자주 사다 주셨던 파인애플을 먹으면서 영어로 된 노래를 듣고 따라 부르거나 영어책을 읽는 게 참 좋았거든요. 귀로는 팝송을 들으면서 따라 부르고, 눈으로는 영어로 된 재미있는 동화, 소설, 이야기들을 읽으면서 상상 속에 푹 빠져있던 시간이 꾸준히 쌓여 저의 영어 실력을 만들어준 것 같아요.

영어를 잘하게 돼서 나중에 뭐가 되면 좋을까? 라고 생각하는 것도 참 즐거웠어요. 어떤 때는 영어 선생님이 되고 싶었다가 아나운서가 되고 싶기도 했고, 방송 진행자가 되고 싶다는 생각도 들었어요. 또 어떤 때는 영어로 기사를 쓰는 기자가 되면 어떨까? 아니야, 영어로 소설을 쓰는 작가가 되는 것도 멋지겠는데? 하면서 제 꿈은 끊임없이 바뀌었어요. 그렇지만 영어를 잘해서 제가 하고 싶은 일을 멋지게 잘하는 사람이 되고 싶다는 막연한 상상은 매일 했던 것 같아요. 그러면서 영어책을 아주 많이 읽었죠. 영어 전문가가 되어 다양한 영어 관련 책을 쓰고, 영어 방송 프로그램을 진행하며, 전국의 선생님들과 학부모님들, 그리고 학생들에게 영어를 잘 가르치는 방법 및 영어를 잘할 수 있는 방법을 강의하러 다니는 실력을 만들어 준 비결은 영어책을 꾸준히 읽었던 거라고 믿어요.

영어 독해를 할 때는 늘 추측하고 상상하는 자세를 가지세요. 제목이나 교재에 있는 삽화와 사진, 그림을 보면서 지문의 내용이 뭘까 추측해보고, 모르는 단어가 나와도 앞뒤 문맥을 생각하면서 이 단어의 뜻이 뭘까를 생각해보세요. 그리고 지문의 내용을 머릿속에서 그림을 그려 상상해보면서 내용을 기억하고, 그 내용에 들어있는 단어의 의미를 연결해서 뜻을 기억하도록 하세요. 그리고 여러분만의 단어노트를 만들어 정리하는 것도 좋아요. 또한 지문을 읽을 때 눈으로만 보는 것보다는 소리를 내어 읽으면서 독해를 하는 것이 듣기 실력까지 높일 수 있는 효과적인 방법입니다.

〈THIS IS READING Starter〉 시리즈에 실린 다양한 주제의 지문을 읽으면서 내용을 이해하고, 문제를 풀고, 지문 안에 들어있는 어휘들을 외우면서, 영어를 아주 완벽히 잘하게 되었을 때 여러분이 뭘 하고 싶은지 꿈을 꾸어보세요. 〈THIS IS READING Starter〉 시리즈가 여러분의 영어 실력을 높여주는 동시에 여러분의 미래 목표를 이룰 수 있는 막강한 힘을 길러줄 것입니다.

꾸준히 성실하게 노력하면서도 즐겁고 행복하게 지내는 하루하루가 쌓이면 여러분의 멋진 미래가 선물처럼 다가올 것입니다. 꿈을 꾸고 노력하세요. 그러면 그 꿈은 꼭 이루어질 것이라 믿어요.

〈EBS 대표 영어 프로그램 진행자〉 김태연

초등부터 중등까지 모든 독해의 확실한 해결책

THIS IS
READING
Starter

호기심을 자극하는
Preview 어휘 문제와 배경 지식 제공

어휘력을 효과적으로 키워주는
이미지 & 문장 완성 어휘 문제

다양한 주제를 통한
흥미로운 독해 지문

내신과 불수능을 미리미리 대비하는
유형별 독해 문제

독해 탄탄의 기초, 어휘력을 향상시키는
Words Review & Workbook

➕ 추가 제공 자료

MP3 듣기 ─ 어휘 리스트 ─ 어휘 테스트지 ─ 모바일 단어장 ─ VOCA TEST

정답 확인 ─ 온라인 받아쓰기 ─ 지문 스크립트

MP3 듣기
모바일 단어장
VOCA TEST

www.nexusEDU.kr
www.nexusbook.com

FEATURES

01

지문 내용과 관련된 그림문제를 미리 풀어 보면서 흥미를 유발하고 배경 지식을 통해 지문을 좀 더 쉽게 이해할 수 있습니다.

02

독해의 기본이 되는 어휘를 이미지를 통해 미리 학습하고, 간단한 예시 문장을 통해 기본 어휘를 효과적으로 암기할 수 있고 지문 내용의 이해가 쉽도록 도와줍니다.

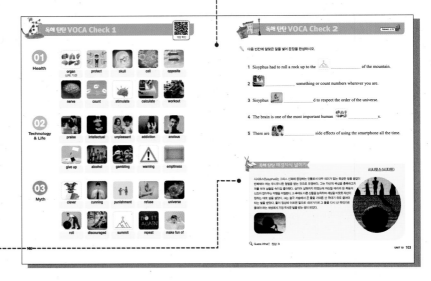

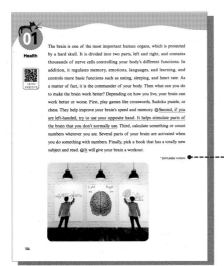

03

건강, 음식, 사회, 과학, 심리, 환경, 역사, 상식, 직업, 그리고 재미 있는 표현이나 이야기 등을 통해 독해의 배경지식 습득은 물론 학습자가 흥미를 잃지 않도록 도와줍니다. 또한 QR코드로 지문의 내용을 원어민 발음으로 확인할 수 있습니다.

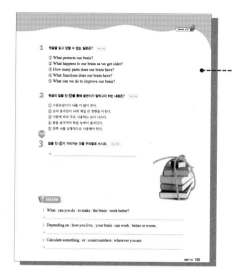

04

다양한 독해 유형 문제풀이를 통해 내신 대비는 물론 수능 독해의 기초까지 잡아줍니다. 직독직해 문제를 통해 영어 문장을 영어의 어순에 맞게 해석하고 분석하는 능력을 키울 수 있습니다.

Words Review

05

각 Unit에서 다룬 어휘를 다시 한 번 정리해 볼 수 있습니다. 영영풀이 문제를 통해 어휘의 정확한 의미를 파악하고 영어 식 사고력을 높일 수 있습니다.

06

Unit별로 구성되어 있는 워크북에서는 영-한, 한-영 문제로 학습한 어휘를 최종적으로 확인하고, 문맥을 통해 어휘를 추론해 봄으로써 문장 완성 능력 및 독해 실력을 향상시킬 수 있습니다.

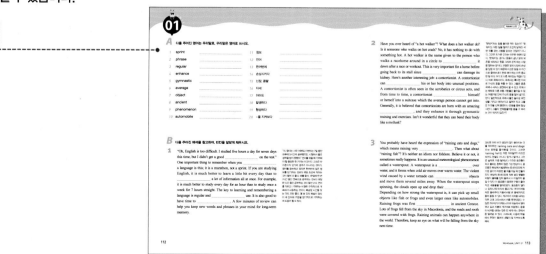

CONTENTS

01

1 **SCHOOL LIFE**
영어 공부의 비법을 알려주마!

2 **INTERESTING JOBS**
재미있는 직업의 발견

3 **EXPRESSIONS**
하늘에서 물고기가 떨어져요!

다음 중 컨토셔니스트가 일하기에 알맞은 곳은 어디일까?

A

B

C

정답 확인

01 School Life

information 정보	grade	important	language	marathon

sprint	memorize	hour	review	phrase

02 Interesting Jobs

walk	coal	racehorse	damage	race

stall	gymnastic	contortionist	twist	suitcase

03 Expressions

fall	waterspout	tornado	cover	content

object	roof	spin	automobile	observe

 다음 빈칸에 알맞은 말을 넣어 문장을 완성하시오.

1 A waterspout is a _____ over water.

2 It can pick up small _____s like fish or frogs.

3 I didn't get a good _____ on the test.

4 It is also good to have time to _____.

5 A contortionist can _____ his or her body into unusual positions.

독해 탄탄 배경지식 넓히기

연체 곡예(컨토션)

컨토션(contortion)은 영어로서 말 그대로 '비틀기, 뒤틀림'을 의미하며 연체 곡예사(contortionist)는 자신의 몸을 비틀거나 꼬아서 유연성을 뽐내며 일반 사람이 할 수 없는 다양한 포즈를 취하고 인체의 아름다움을 보여준다. 일반적으로 연체 곡예사는 선천적으로 아주 유연한 몸을 지니고 있으며 극한 훈련을 통해 곡예 공연이나 서커스에서 관객을 놀라게 할 수준까지 기술을 연마한다. 보기에는 고통스러워 보일 수 있으나 연체 곡예사들은 유연성 훈련과 더불어 근력 운동도 병행하기 때문에 일반인보다 더 발달한 근육과 더 높은 골밀도를 갖고 있어 오히려 더 좋은 건강 상태에 있다.

Guess What? 정답: C

01

School Life

지문 MP3
모바일 단어장

"Oh, English is too difficult. I studied five hours a day for seven days this time, but I didn't get a good grade on the test." One important thing to remember when you learn a language is this; it is a marathon, not a sprint. If you are studying English, it is much better to learn a little bit every day than to memorize a lot of information all at once. _____, it is much better to study every day for an hour than to study once a week for 7 hours straight. The key to learning and remembering a language is regular and constant use. It is also good to have time to review. A few minutes of review can help you keep new words and phrases in your mind for long-term memory.

* sprint: 단거리 경주, 전력 질주
** phrase: 구문

1 윗글의 요지로 가장 적절한 것은? 요지 찾기

① English is an easy language to learn.
② Speaking is more important than reading when you study English.
③ You should know many words to be a good English speaker.
④ You need to learn English to study overseas.
⑤ You should learn English in a slow but steady manner.

2 영어 공부를 위한 조언으로 언급된 것 두 가지는? 세부 사항

① 영어 일기를 많이 써야 한다.
② 이전에 배운 것은 복습해야 한다.
③ 독서를 통해 단어를 빨리 배울 수 있다.
④ 배운 것은 지속적으로 사용할 수 있어야 한다.
⑤ 자신의 수준에 맞는 영화를 반복적으로 보자.

3 윗글의 빈칸에 들어갈 말로 가장 적절한 것은? 빈칸 완성

① For example　　② Therefore　　③ Finally
④ Then　　⑤ In short

 직독직해

1 I / studied / five hours / a day / for seven days / this time.
→ _____

2 The key / to learning and remembering / a language / is / regular and constant / use.
→ _____

3 It is also good / to have time / to review.
→ _____

02

Interesting Jobs

지문 MP3
모바일 단어장

Have you ever heard of "a hot walker"? What does a hot walker do? Is it someone who walks on hot coals? No, it has nothing to do with something hot. A hot walker is the name given to the person who walks a racehorse around in a circle to cool ⓐ it down after a race or workout. This is very important for a horse before going back to its stall since overheating can damage ⓑ its kidney. Here's another interesting job: a contortionist. A contortionist can twist ⓒ his or her body into unusual positions. A contortionist is often seen in the acrobatics or circus acts, and from time to time, a contortionist crams ⓓ himself or herself into a suitcase which the average person cannot get into. Generally, it is believed that contortionists are born with an amazing flexibility, and they enhance it through gymnastic training and exercises. Isn't it wonderful that they can bend ⓔ their body like a mollusk?

* contortionist: (연체) 곡예사
** acrobatics: 곡예
*** mollusk: 연체동물

16

1 윗글에서 핫워커(hot walker)가 경주가 끝난 말을 걷게 하는 이유는? 〔이유 찾기〕

① 말의 근육을 풀어주기 위해서   ② 말의 혈액 순환을 돕기 위해서
③ 말의 관절을 보호하기 위해서   ④ 말의 신장을 보호하기 위해서
⑤ 말의 기분을 전환시키기 위해서

2 윗글의 밑줄 친 ⓐ ~ ⓔ 중에서 가리키는 대상이 <u>잘못</u> 연결된 것은? 〔지칭 추론〕

① ⓐ it − a racehorse
② ⓑ its − a hot walker
③ ⓒ his or her − a contortionist
④ ⓓ himself or herself − a contortionist
⑤ ⓔ their − contortionists

서술형

3 보기에 주어진 말을 이용하여 다음 요약문을 완성하시오. 〔요약문 완성〕

보기	contortionist	race	average	enhanced	cool

A hot walker is a person who walks a racehorse around to _____ down the horse. A horse gets really hot after a big race, so it's dangerous to go back to the stall right after the _____. A _____ is someone who shows physical flexibility by bending and flexing his or her body to amaze people. They sometimes get into very small places which _____ people are never able to get in. In general, contortionists have natural flexibility that is later _____ through training.

직독직해

1 It / has nothing to do / with something hot.

→ _____

2 A contortionist / can twist / his or her body / into unusual positions.

→ _____

3 It is believed / that / contortionists / are born / with an amazing flexibility.

→ _____

03

Expressions

지문 MP3
모바일 단어장

You probably have heard the expression of "raining cats and dogs," which means raining very heavily. Then what about "raining fish"? It's neither an idiom nor folklore. Believe it or not, it sometimes really happens. It is an unusual meteorological phenomenon called a waterspout. A waterspout is a tornado over water, and it forms when cold air moves over warm water. The violent wind caused by a water tornado can <u>pick up</u> objects and move them several miles away. When the waterspout stops spinning, the clouds open up and drop their contents. Depending on how strong the waterspout is, it can pick up small objects like fish or frogs and even larger ones like automobiles. Raining frogs was first observed in ancient Greece. Lots of frogs fell from the sky in Macedonia, and the roads and roofs were covered with frogs. Raining animals can happen anywhere in the world. Therefore, keep an eye on what will be falling from the sky next time.

* rain cats and dogs: 비가 세차게 내리다
** meteorological: 기상의, 기상학의
*** waterspout: (기상 현상) 용오름, 물기둥

18

1 윗글을 읽고, 용오름(waterspout)에 대해 일치하는 것은? [내용 일치]

① 가벼운 것부터 무거운 것까지 들어 올릴 수 있다.
② 고대 그리스시대에 하늘에서 물고기가 떨어진 것이 기록되었다.
③ 최근에는 용오름이 목격된 기록이 없다.
④ 따뜻한 공기가 차가운 물 위를 지날 때 생긴다.
⑤ 동물들을 수백 마일 떨어진 곳으로 이동시킬 수 있다.

2 윗글의 밑줄 친 **pick up**과 뜻이 같은 단어는? [어휘]

① choose   ② lift   ③ buy
④ get in   ⑤ drive

서술형

3 다음은 용오름 현상을 시간 순서로 정리한 것이다. 보기에 주어진 말을 이용하여 빈칸을 완성하시오. [내용 이해]

| 보기 | moves | stops | waterspout | cold | drops | animals |

_____ air moves over warm water.

→ A _____ is formed.

→ The waterspout picks up _____ and other things.

→ The waterspout _____ them to another place.

→ The waterspout _____.

→ The waterspout _____ its contents.

🖋 직독직해

1 It is / an unusual meteorological phenomenon / called / a waterspout.

→ _____

2 The violent wind / caused / by a water tornado / can pick up / objects.

→ _____

3 It / can pick up / small objects / like fish or frogs / and even larger ones / like automobiles.

→ _____

Words Review

Answers p.03

01

grade	성적	sprint	단거리 경주	a little bit	약간
memorize	암기하다	information	정보	all at once	한꺼번에
than	~보다	once	한 번	key	비결
language	언어	regular	규칙적인	constant	계속되는
review	복습하다, 복습	phrase	어구		

02

walk	걷다, 걷게 하다	coal	석탄	racehorse	경주마
cool down	식히다	workout	운동	stall	마구간
overheating	과열	damage	손상시키다	kidney	신장, 콩팥
twist	비틀다	unusual	특이한	position	자세
cram	구겨 넣다	average	평범한, 보통의	generally	일반적으로
flexibility	유연성	enhance	강화시키다	gymnastic	체조의

03

probably	아마도	idiom	숙어, 관용 표현	folklore	전설
happen	발생하다	phenomenon	현상	tornado	토네이도
form	형성하다	violent	맹렬한	pick up	집어 들다
object	물건	spin	회전하다	content	내용물
depending on	~에 따라서	automobile	자동차	observe	관찰하다
ancient	고대의	keep an eye on	~을 지켜보다		

다음 설명에 해당하는 단어를 보기에서 찾아 쓰시오. 영영풀이

보기	average	memorize	form	violent	ancient

1 _____ to learn something in order to remember it
어떤 것을 기억하기 위해 익히다

2 _____ ordinary; not special 보통의; 특별하지 않은

3 _____ to develop into a particular shape 특정한 모양으로 발전하다

4 _____ belonging to a time that was long ago in the past
오래 전 과거 시대에 속한

5 _____ very powerful and likely to damage things
매우 힘이 세어서 물건들에 손상을 가할 수 있는

다음 중 네덜란드의 천재 화가, 빈센트 반 고흐의 작품은 무엇일까?

A

B

C

01 Health

vitamin
비타민

strength

energy

down

vitality

cheer

improve

memory

lower

risk

02 Useful Info

malaria

region

disease

tropical

travel

precaution

prevent

mosquito

prescribe

medicine

03 People

artist

lonely

emotional

lack

support

dealer

financial

successful

failure

bury

 다음 빈칸에 알맞은 말을 넣어 문장을 완성하시오.

1 Malaria is one of the most common  _____s.

2 Vincent van Gogh believed that life was a terrible  _____.

3 They can _____ the risk of cancer.

4 They can give you _____ and vitality.

5 Your doctor will prescribe some _____.

독해 탄탄 배경지식 넓히기

빈센트 반 고흐(1853~1890) – 비운의 천재 화가

네덜란드 출신의 빈센트 반 고흐(Vincent van Gogh)는 자신의 독창적인 그림과 정신질환으로 인한 불행했던 삶으로 유명한 인상주의 화가이다. 비록 제대로 된 미술 교육을 받지 않았지만 다른 작품들을 모사하며 독학으로 미술적 지식과 기술을 익혔다.

그가 살아있을 때는 성공을 거두진 못했지만 자신의 목숨을 끊기 전, 약 10년 동안 그렸던 900여 점의 그림 중 몇몇이 파리에서 전시된 후 급속도로 명성이 커졌다. 그는 현재 세계에서 가장 사랑 받는 화가 중 한 명이며 인상파, 야수파, 초기 추상화와 표현주의에 큰 영향을 끼쳤다. 그의 작품은 상상을 초월하는 가격으로 거래가 되는데 특히 〈가셰 박사의 초상〉은 1990년 한 경매에서 약 1,000억 원에 낙찰되기도 하였다.

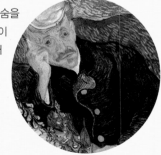

🔍 Guess What? 정답: C

Health

지문 MP3
모바일 단어장

Vitamin A, or beta-carotene foods, are often the color red. These kinds of foods are very good for you. They can give you strength, energy, and vitality. They can also help <u>cheering</u> you up, improve your memory, and lower the risk of cancer. (A) If you feel down, eat more red-colored foods, then you can feel better. (B) They also contain lycopene, which is a strong anti-oxidant. (C) It helps our body fight against toxins that can lead to cancer. (D) Tomatoes, red chilies, cherries, apples, strawberries, and watermelons are some of the most popular, and some of the best! (E) So be sure to take some home with you the next time you go to the supermarket!

* beta-carotene: (영양분) 베타카로틴
** lycopene: 리코펜 (토마토 등의 붉은 색소)
*** anti-oxidant: 항산화제

1 윗글에서 베타카로틴 음식의 효과로 언급된 것이 <u>아닌</u> 것은? 내용 불일치

① 기분 개선   ② 기억력 강화   ③ 암 예방
④ 독소 제거   ⑤ 체중 감량

서술형

2 윗글의 밑줄 친 **cheering**을 어법에 맞게 고쳐 쓰시오. 어법

→ _____

3 글의 흐름으로 보아, 주어진 문장이 들어가기에 가장 적절한 곳은? 주어진 문장 넣기

So what are these healthy red-colored foods?

① (A)   ② (B)   ③ (C)   ④ (D)   ⑤ (E)

📝 직독직해

1 If you feel down, / eat more red-colored foods, / then / you can feel better.

→ _____

2 They / also contain / lycopene, / which is a strong anti-oxidant.

→ _____

3 So / be sure / to take some home with you / the next time / you go to the supermarket!

→ _____

Useful Info

지문 MP3
모바일 단어장

Malaria is one of the most common diseases that you are likely to get when you travel to tropical and subtropical regions. Certain parts of the world including areas in South America, Asia, and Africa have problems with malaria. So if you plan to travel to one of them, it is important to take precautions to prevent getting it. First of all, make sure you bring plenty of strong mosquito repellents because malaria is spread around by mosquitoes. _____, be sure to talk to your doctor before you go to any of those areas. Your doctor will let you know if the area you are going to has a malaria outbreak. If it does, he or she will prescribe some medicine that will help keep you from getting malaria.

* tropical: 열대지방의
** subtropical: 아열대지방의
*** repellent: 방충제

1 윗글의 주제로 가장 적절한 것은? 주제 찾기

① how to prevent malaria
② how to treat malaria patients
③ how to recover from malaria
④ how to eliminate malaria in an area
⑤ what to do in case of malaria outbreak

2 윗글의 빈칸에 들어갈 말로 가장 적절한 것은? 빈칸 완성

① Above all   ② Thus   ③ Secondly
④ Or   ⑤ For example

3 윗글의 밑줄 친 부분의 의미로 가장 적절한 것은? 내용 이해

① 방충제가 준비되어 있지 않다면
② 여행 지역에 모기가 없다면
③ 열대지방으로 여행할 계획이라면
④ 말라리아 예방 접종을 하였다면
⑤ 목적지에서 말라리아가 발생했다면

직독직해

1 It is important / to take precautions / to prevent / getting it.

→ _____

2 Be sure to talk / to your doctor / before / you go / to any of those areas.

→ _____

3 Your doctor / will let you know / if / the area / you are going to / has a malaria outbreak.

→ _____

People

지문 MP3
모바일 단어장

Vincent van Gogh, a famous artist, was lonely during his whole life; he was highly emotional and lacked self-confidence. But he was lucky to have a supportive brother, Theo van Gogh, who was 4 years younger than him. Theo van Gogh was a successful art dealer. Theo's unfailing financial support allowed his brother to devote himself entirely to painting. Theo was Vincent's closest friend, and Vincent wrote hundreds of letters to Theo. Theo was often worried about Vincent's mental condition, and he was one of the few people who understood his brother. Though Vincent van Gogh believed that his life was a terrible failure, Theo was always there for him. Theo died six months after Vincent's death and was buried next to him in Auvers, France.

1 윗글의 주제로 가장 적절한 것은? 주제 찾기

① 빈센트 반 고흐가 미술계에 미친 영향
② 빈센트 반 고흐의 불행한 삶
③ 빈센트 반 고흐가 동생에게 보낸 편지
④ 빈센트 반 고흐의 삶에서 가장 중요한 인물
⑤ 빈센트 반 고흐의 숨겨진 명작들

2 빈센트 반 고흐에 관한 윗글의 내용으로 알 수 <u>없는</u> 것은? 내용 이해

① He had a brother named Theo.
② He was born in France.
③ He didn't have enough confidence.
④ He died before his brother.
⑤ Theo was like a good friend to him.

3 윗글을 읽고, 다음 빈칸에 알맞은 말을 찾아 문장을 완성하시오. (1단어) 세부 사항

Vincent van Gogh could focus on painting because of his brother's _____.

직독직해

1 He / was lucky / to have / a supportive brother, / Theo van Gogh.

→ _____

2 Theo's unfailing financial support / allowed / his brother / to devote himself / entirely to painting.

→ _____

3 He / was one of / the few people / who understood his brother.

→ _____

Words Review

 Answers p.05

01

strength	힘	vitality	활력	improve	개선하다
lower	낮추다	risk	위험	cancer	암
down	우울한	contain	담다	toxin	독소
popular	인기 있는				

02

disease	질병	likely	가능성이 있는	certain	어떤
include	포함하다	problem	문제	precaution	예방조치
prevent	예방하다, 막다	make sure	확실히 ~하다	plenty of	많은
repellent	방충제	spread	퍼뜨리다	area	지역
outbreak	발병, 발발	prescribe	처방하다	medicine	약

03

lonely	외로운	whole	전체의	highly	매우
lack	부족하다	self-confidence	자신감	supportive	지지하는
successful	성공적인	unfailing	변하지 않는	financial	경제적인
support	지원	allow	가능하게 하다	devote	전념하다
entirely	완전히	mental	정신적인	condition	상태
terrible	형편없는	failure	실패	bury	(땅에) 묻다

다음 설명에 해당하는 단어를 보기에서 찾아 쓰시오. 영영풀이

| 보기 | improve | prescribe | risk | prevent | allow |

1 _____ the possibility that something bad will happen
나쁜 일이 일어날 가능성

2 _____ to make something better 어떤 것을 더 좋게 만들다

3 _____ to stop something from happening 어떤 것이 발생하는 것을 막다

4 _____ to tell somebody to take a particular medicine
누군가에게 어떤 약을 먹으라고 지시하다

5 _____ to let someone do something 누군가가 어떤 일을 하도록 놔두다

30

UNIT

03

1 **ORIGIN**
자동차의 기원

2 **INTERESTING FACTS**
시체 썩는 냄새가 나는 꽃?

3 **HEALTH**
먹을 것이냐, 먹지 않을 것이냐, 그것이 문제로다!

다음 중 일 년에 한 번만 피며, 지독한 냄새를 풍기는 식물은 무엇일까?

A

B

C

정답 확인

01 Origin

origin
기원

exactly

word

shorten

go by

carriage

carry

around

invent

power

02 Interesting Facts

attract

rain forest

species

leaf

bloom

size

shape

appearance

root

stem

03 Health

few

unhealthy

meal

kitchen

harmful

busy

choose

spoil

appetite

regular

 다음 빈칸에 알맞은 말을 넣어 문장을 완성하시오.

1 We choose _____ snacks that have a lot of fat.

2 It _____s once in a year and lasts only five to seven days.

3 The rafflesia has no roots, _____s, or even leaves.

4 _____s were powered by horses.

5 Do you know the _____ of the word 'car'?

 독해 탄탄 배경지식 넓히기

라플레시아

라플레시아(rafflesia)는 동남아시아에 서식하는 기생 식물로서 다른 넝쿨식물의 줄기에 침투하여 영양분을 흡수하며 그 크기는 지름이 1미터 이상으로 거대하다. 이 식물은 독특한 방식으로 번식하는데 개화 시기에 시체가 썩는 듯한 지독한 냄새를 발산하여 파리와 같은 벌레나 딱정벌레 등을 유혹하여 꽃가루를 자연스럽게 옮기도록 한다. 꽃은 1년에 한 번 피지만 유지 기간이 1주일도 되지 않아 운이 좋아야 개화한 것을 볼 수 있다.

🔍 Guess What? 정답: B

01

Origin

지문 MP3
모바일 단어장

Do you know the origin of the word 'car'? Where does the word 'car' come from? We all know what a car is. We also know that it is another name for an 'automobile.' But how exactly did cars come to be called cars? Well, the word 'car' is a ⓐ [shorten / shortened] form of the word 'carriage.' You know, before the automobile was ⓑ [invented / inventing], people got around in carriages that were powered by horses. The word 'carriage,' by the way, comes from the word 'carry.' When automobiles were first invented, many people called them 'horseless carriages.' And as time went by, they were shortened simply to 'cars.'

1 윗글의 주제로 가장 적절한 것은? 주제 찾기

① 자동차와 마차의 차이점
② 'car'라는 단어의 기원
③ 자동차의 발전과 역사
④ 말 없는 마차의 장단점
⑤ 자동차 개발의 필요성

2 윗글의 밑줄 친 **carriage**는 어떤 단어에서 생긴 것인가? 세부 사항

① horse　　　　　② automobile　　　　　③ cart
④ carry　　　　　⑤ car

서술형

3 윗글의 ⓐ, ⓑ에서 어법에 맞는 형태를 각각 고르시오. 어법

ⓐ _____　　　ⓑ _____

✏️ 직독직해

1 We all / know / what a car is.

→ _____

2 We / also know that / it is another name / for an 'automobile.'

→ _____

3 People / got around / in carriages / that were powered / by horses.

→ _____

02

Interesting Facts

지문 MP3
모바일 단어장

The biggest type of flower in the world is called the rafflesia. ⓐ It grows in tropical rain forest areas in Southeast Asia, mainly in Indonesia and Malaysia. Actually, it's not just one species of plant, but rather a set of 26 species. The species are all related in size, shape, and overall appearance. One interesting thing about the rafflesia is that ⓑ it has no roots, stems, or even leaves. It is a parasite, meaning that it attaches ⓒ itself to a jungle vine and lives off of ⓓ it. Speaking of ⓔ its size, the biggest types can be over one meter in diameter and weigh over 10 kilograms. It blooms once a year and lasts only five to seven days. So you have to be lucky to see it in bloom. It emits an awful smell like rotten meat to attract flies that pollinate it. It is certainly not a good flower to give your mother or your girlfriend!

* rain forest: 열대 우림
** parasite: 기생 식물
*** pollinate: 수분(가루받이)하다

1 윗글에서 라플레시아(rafflesia)에 대한 내용과 일치하지 <u>않는</u> 것은? [내용 불일치]

① 열대 우림 지역에 산다.　　　　② 식용으로 쓰인다.
③ 뿌리, 줄기, 잎이 없다.　　　　④ 지름이 1미터가 넘기도 한다.
⑤ 26종을 이룬다.

2 윗글에서 라플레시아가 나쁜 냄새를 뿜는 이유는? [세부 사항]

① 천적으로부터 자신을 보호하기 위해서
② 파리를 끌어들여 수분하기 위해서
③ 흙 속의 영양분을 흡수하기 위해서
④ 다른 생물에 기생하기 위해서
⑤ 곤충을 잡아먹으려고

3 윗글의 밑줄 친 ⓐ ~ ⓔ 중에서 가리키는 대상이 나머지 넷과 <u>다른</u> 것은? [지칭 추론]

① ⓐ　　　　② ⓑ　　　　③ ⓒ　　　　④ ⓓ　　　　⑤ ⓔ

직독직해

1 The biggest type / of flower / in the world / is called / the rafflesia.

→ _____

2 It blooms / once a year / and lasts / only five to seven days.

→ _____

3 It / emits / an awful smell / like rotten meat / to attract flies / that pollinate it.

→ _____

It's 3 p.m. You had lunch just a few hours ago, but you are already hungry again. And you have at least three more hours until dinner. What will you do? You will eat something, of course! Now, there (A) [are / is] many things that you could have as a snack between meals, so you go to the kitchen. What do you choose to eat? Perhaps you may pick up some cookies or potato chips. How about some ice cream or a candy bar? But remember! All of (B) [this / these] snacks are harmful because they have too much sugar and no nutritional value. We usually eat snacks that are quick to fix and eat. Because we are often busy during the day, we choose unhealthy snacks that have a lot of fat. Also these (C) [type / types] of snacks can spoil our appetite. If we eat too many sweet snacks, then perhaps we will eat nothing healthy for our next meal. So eating unhealthy snacks can be harmful to our regular diet.

* spoil: 망치다
** appetite: 식욕

Answers p.07

1 윗글에서 건강에 나쁜 간식의 문제점으로 언급하지 <u>않은</u> 것은? 세부 사항

① 당분이 많다.　　　　② 영양분이 부족하다.

③ 지방이 많다.　　　　④ 식욕을 떨어뜨린다.

⑤ 혈압을 높인다.

2 윗글의 밑줄 친 <u>fix</u>와 뜻이 같은 단어는? 어휘

① prepare　　　② repair　　　③ glue

④ buy　　　　　⑤ attach

3 윗글의 (A) ~ (C)에서 어법에 맞는 것끼리 짝지어진 것은? 어법

	(A)		(B)		(C)
①	is	……	this	……	type
②	are	……	this	……	types
③	are	……	this	……	type
④	are	……	these	……	types
⑤	is	……	these	……	types

직독직해

1 You / have / at least / three more hours / until dinner.

→ _____

2 We / usually / eat snacks / that are quick / to fix and eat.

→ _____

3 Eating / unhealthy snacks / can be harmful / to our regular diet.

→ _____

Words Review

01

origin	기원	come from	~에서 기원하다	automobile	자동차
exactly	정확히	come to	~하게 되다	shorten	짧게 하다
form	형태	carriage	마차	invent	발명하다
get around	돌아다니다	power	작동시키다	by the way	그런데
horseless	말이 없는	go by	(시간이) 지나가다	simply	단순히

02

species	(생물) 종	related	관계된	overall	전체적인
appearance	모습	stem	줄기	parasite	기생 생물
attach	부착하다	vine	덩굴 식물	live off of	~에 기생하다
diameter	지름	weigh	무게가 ~이다	bloom	꽃피다
last	지속하다	emit	내뿜다	awful	끔찍한
rotten	썩은	attract	유혹하다, 끌어당기다	certainly	확실히

03

at least	적어도	until	~까지	of course	물론
between	~ 사이에	harmful	해로운	nutritional	영양분의
value	가치	quick	빠른	fix	(식사를) 준비하다
during	~ 동안에	unhealthy	건강하지 않은	spoil	망치다
appetite	식욕	perhaps	아마도	diet	식단, 식습관

✏️ 다음 설명에 해당하는 단어를 보기에서 찾아 쓰시오. 영영풀이

| 보기 | origin | diet | appetite | attract | attach |

1 _____ the food that you usually eat 주로 먹는 음식

2 _____ a desire for food 음식에 대한 갈망

3 _____ to make someone or something to go to a place
어떤 사람이나 어떤 것이 어느 한 장소에 가고 싶게 만들다

4 _____ to join one thing to another 어떤 것을 다른 것과 결합시키다

5 _____ the point or place where something begins
어떤 것이 시작하는 지점이나 장소

Guess What?

다음 중 미국 샌프란시스코 여행 중에 목격할 수 있는 것은 무엇일까?

A

B

C

독해 탄탄 VOCA Check 1

정답 확인

01
Health & Beauty

home remedy
민간요법

acne

peel

soak

rub

luck

cucumber

piece

place

wrinkle

02
History

transportation

cable car

history

public

passenger

popularity

expensive

electric

valuable

preserve

03
World Life

enjoy

continental

Europe

breakfast

fresh

slice

serve

hearty

American

limit

 다음 빈칸에 알맞은 말을 넣어 문장을 완성하시오.

1 One way is simply to use an orange  _____.

2 You can have the chance to _____ an American breakfast.

3 The first _____ streetcars were invented.

4 Soak it in water, and then _____ it on your skin.

5 One of the oldest forms of _____ is the cable car.

독해 탄탄 배경지식 넓히기

케이블카(cable car)

미국 샌프란시스코는 가파른 언덕도 유명하지만 그 언덕을 힘겹게 오르내리는 케이블카로도 유명하다. 일반적으로 케이블카하면 케이블에 매달려 산이나 물 위 등의 공중으로 이동하거나 관광할 때 이용하는 기구를 떠올리지만, 샌프란시스코의 케이블카는 바닥에 깔려 있는 케이블을 따라 움직이는 전차 모양의 무동력 교통수단을 의미한다. 이 케이블카는 1873년에 개통되어 주요 운송수단으로 쓰였지만 현재는 관광 상품으로서의 역할이 크다.

🔍 Guess What? 정답: A

"Hey, your skin looks like an orange!" "What are you talking about? My skin looks like an orange?" Are you having problems with acne? Well, here are a few good home remedies that you can use easily at home. One way is simply to use an orange peel. Just get ⓐ <u>it</u> very, very wet, in fact soak ⓑ <u>it</u> in water, then rub ⓒ <u>it</u> on your skin where you have the bad acne. Another similar method uses a cucumber. You can use the leaves from a cucumber, or you can cut pieces off of a cucumber and place them on your skin. Many people use cucumbers to keep them from <u>get</u> wrinkles in their skin. But they are also very helpful for acne. Good luck with your skin!

* home remedy: 민간요법

1 윗글에서 여드름 치료법으로 언급된 것으로 옳은 것은? 내용 일치

① 오이를 끓인 물을 여드름 부위에 바른다.
② 오이 껍질을 물에 적셔 여드름 부위에 붙인다.
③ 오렌지 잎을 여드름 부위에 붙인다.
④ 오이 조각을 여드름 부위에 붙인다.
⑤ 오렌지와 오이를 갈아 마신다.

2 윗글에서 ⓐ ~ ⓒ가 공통적으로 가리키는 것을 윗글에서 찾아 세 단어로 쓰시오. 지칭 추론

→ _____

3 윗글의 밑줄 친 **get**의 알맞은 형태는? 어법

① gets   ② to get   ③ got
④ getting   ⑤ gotten

1 Here are / a few / good home remedies / that you can use / easily / at home.

→ _____

2 Rub it / on your skin / where you have the bad acne.

→ _____

3 You / can cut pieces off / of a cucumber / and place them / on your skin.

→ _____

지문 MP3
모바일 단어장

(A)

The first cable cars were built in 1873, and regular passenger service started soon after that. They continued to grow in popularity for many years until 1892 when the first electric streetcars were invented. This caused the cable cars to lose their popularity, as they were much more expensive to run than electric streetcars.

(B)

One of the oldest and most famous forms of transportation in the United States is the cable car. (common, used to, cable cars, very, be) and popular, but now they only exist and operate in one city: San Francisco. In fact, they are not public transportation, but the only official National Historic Landmarks that move!

(C)

As time went by, however, many people thought that the cable cars were a valuable part of the city's history. Finally, the cable car system was well preserved. Today, there are three lines that run up and down the hills of San Francisco every day.

* streetcar: (거리 위를 다니는) 전차

46

1 윗글에서 전차가 개발되고 케이블카의 인기가 떨어진 이유는?  세부 사항

① 케이블카보다 전차 설치가 더 쉬웠다.
② 케이블카보다 전차가 운전하기 쉬웠다.
③ 케이블카는 전차에 비해 운영비가 비쌌다.
④ 케이블카는 타고 다니기 위험했다.
⑤ 케이블카 이용료가 계속 올랐다.

2 윗글 (A), (B), (C)의 순서로 가장 적절한 것은? 글의 순서 정하기

① (A) – (C) – (B)　　　　② (B) – (A) – (C)　　　　③ (B) – (C) – (A)
④ (C) – (A) – (B)　　　　⑤ (C) – (B) – (A)

 서술형

3 윗글의 밑줄 친 부분을 글의 흐름에 알맞게 배열하시오. 문장 완성

→ _____

 직독직해

1 They / continued / to grow in popularity / for many years / until 1892.

→ _____

2 One of / the oldest / and most famous forms / of transportation / in the United States / is the cable car.

→ _____

3 Today, / there are / three lines / that run up and down / the hills of San Francisco / every day.

→ _____

03

World Life

Depending on the hotel you stay at, you can have the chance to enjoy an American breakfast or continental breakfast. An American breakfast generally includes eggs, sliced bacon or sausages, and sliced bread or toast with jam, jelly, or butter. It (A) [is usually / usually is] served with coffee, milk or fresh fruit juice. A continental breakfast consists of croissants, rolls, or bread with butter, jam, or marmalade, and coffee or tea. It is served commonly in continental Europe, where people do not consider breakfast to be the most important meal of the day. An American breakfast is commonly a lot (B) [big / bigger] than a continental breakfast. The continental breakfast is different (C) [of / from] the hearty English breakfast that is commonly served in the U.K. Since many American hotels offer this service, the continental breakfast concept isn't limited to Europe.

1 윗글의 주제로 가장 적절한 것은? 주제 찾기

① 영국식 아침식사가 푸짐한 이유
② 미국식 아침식사의 장점
③ 호텔 아침식사와 지역의 관계성
④ 유럽식 아침식사의 문제점
⑤ 미국식 아침식사와 유럽식 아침식사의 차이점

2 유럽식 아침식사에 포함되지 <u>않는</u> 것은? 내용 불일치

① 빵 ② 커피 ③ 차
④ 달걀 프라이 ⑤ 마멀레이드

3 윗글의 (A) ~ (C)에서 어법에 맞는 것끼리 짝지어진 것은? 어법

	(A)		(B)		(C)
①	is usually	……	big	……	of
②	is usually	……	bigger	……	of
③	is usually	……	bigger	……	from
④	usually is	……	bigger	……	of
⑤	usually is	……	big	……	from

✎ 직독직해

1 You / can have / the chance / to enjoy / an American breakfast or continental breakfast.

→ _____

2 People / do not consider / breakfast / to be the most important meal / of the day.

→ _____

3 The continental breakfast concept / isn't limited / to Europe.

→ _____

Words Review

Answers p.09

01

acne	여드름	home remedy	민간요법	peel	(채소, 과일의) 껍질
soak	담그다, 적시다	rub	문지르다	similar	비슷한
method	방법	cucumber	오이	piece	조각
wrinkle	주름				

02

passenger	승객	continue	계속하다	popularity	인기
electric	전기의	cause	야기하다	expensive	비싼
transportation	교통수단	exist	존재하다	operate	운영하다
public	공공의	historic	역사적인	landmark	주요 지형지물
valuable	귀중한	preserve	보존하다		

03

chance	기회	continental	(유럽) 대륙의	generally	일반적으로
include	포함하다	slice	(얇게) 썰다	consist of	~로 구성되다
serve	제공하다	commonly	보통	hearty	푸짐한
offer	제안하다, 제공하다	concept	개념	limit	제한하다

다음 설명에 해당하는 단어를 보기에서 찾아 쓰시오. 영영풀이

보기	passenger	soak	wrinkle	expensive	serve

1 _____ to give somebody food or drink
누군가에게 음식이나 음료를 대접하다

2 _____ costing a lot of money
많은 돈이 들어가는

3 _____ a person who is travelling in a car, bus, or train
자동차, 버스, 기차를 타고 이동하는 사람

4 _____ a line on your skin that you get as you get old
나이가 들면서 피부에 생기는 줄

5 _____ to put something in a liquid and make it wet
어떤 것을 액체에 넣고 적시다

05 UNIT

1 **COMPUTER & TECH**
바이러스를 삼킨 메일

2 **INTERESTING FACTS**
핵전쟁 속에서도 살아남는 곤충

3 **PEOPLE**
롤러코스터 인생

다음 중 에디슨이 발명한 것이 <u>아닌</u> 것은 무엇일까?

A
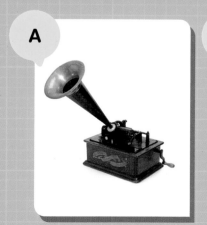

B

C

정답 확인

01 Computer & Tech

computer
컴퓨터

break down

careful

junk mail

virus

steal

destroy

file

delete

repair

02 Interesting Facts

shell

scream

flap

nightmare

cockroach

disgusting

insect

antenna

alive

radiation

03 People

mistake

notice

experiment

light bulb

expect

avoid

lead

negative

positive

learn

독해 탄탄 VOCA Check 2

Answers p.09

✏️ 다음 빈칸에 알맞은 말을 넣어 문장을 완성하시오.

1 You may have to get your computer _____ed.

2 _____es are the most disgusting insects for human beings.

3 He could learn how to _____ the same mistake.

4 These viruses can also _____ the entire computer.

5 He failed in his experiments of a _____.

독해 탄탄 배경지식 넓히기

토머스 에디슨(1847~1931)

에디슨은 전 세계적으로 유명한 미국의 발명가로서 실제 일상생활에서 보편적으로 쓰이는 수많은 발명품을 만들었으며 지금은 세계적인 기업이 된 제너럴 일렉트릭을 설립했다. 에디슨이 발명한 장치 중에는 전구, 축음기, 전화 송신기, 발전기, 영화 영상 장치 등이 있으며 그는 자신의 이름으로 등록된 1,093개가 넘는 미국 특허를 갖고 있다. 그는 유럽의 다른 과학자처럼 학자적인 이론을 개발하거나 확립하지는 않았지만, 호기심을 기반으로 한 끝없는 노력과 열정으로 응용기술면에서는 세계적으로 영향력 있는 업적을 남겼기에 많은 이들의 존경을 받고 있다.

🔍 Guess What? 정답: C

지문 MP3
모바일 단어장

Minsu opens his e-mail. There are several letters in it, including ⓐ<u>one</u> that says ⓑ<u>it</u> is 'From your best friend.' He finds out ⓒ<u>it's</u> from someone that he doesn't know. He just opens ⓓ <u>this file</u> and it causes his computer to break down. Oh, my god! Yes! The important thing to remember is ⓔ<u>this</u>. You should be really careful when you open junk mail. Sometimes people send e-mails that have viruses. 이 바이러스들은 우리의 컴퓨터에서 정보를 훔칠 수 있다 if we open the e-mails. You know what? These viruses can also destroy the entire computer. So if you are unfamiliar with the sender of an e-mail, it's safer to just delete the e-mail. Only open e-mails from people that you know. Otherwise, you may have to take your computer to a shop and pay a lot of money to get it repaired. You don't want that, do you?

1 윗글에서 스팸메일(junk mail) 피해를 예방하기 위한 것으로 언급된 것은? 세부 사항

① 메일을 열어 바이러스를 검사한다.
② 백신 프로그램을 업데이트한다.
③ 컴퓨터를 정기적으로 검사를 맡긴다.
④ 개인 정보는 컴퓨터에 저장하지 않는다.
⑤ 모르는 사람의 메일은 열지 않고 삭제한다.

2 윗글의 밑줄 친 ⓐ ~ ⓔ에서 스팸메일을 가리키는 것이 <u>아닌</u> 것은? 지칭 추론

① ⓐ　　　　② ⓑ　　　　③ ⓒ　　　　④ ⓓ　　　　⑤ ⓔ

서술형

3 윗글의 밑줄 친 우리말을 주어진 단어를 이용하여 알맞게 배열하시오. 문장 완성

(our computer / steal / these / can / viruses / information / from)

→ _____

직독직해

1 There are / several letters / in it, / including one / that says / it is 'From your best friend.'
→ _____

2 He / just opens / this file / and / it / causes / his computer / to break down.
→ _____

3 Otherwise, / you / may have to pay / a lot of money / to get it repaired.
→ _____

Interesting Facts

지문 MP3
모바일 단어장

Something with a brown shell and two long waving hairs comes out at night. You try to catch it and kill it while running around and screaming. Well, it flies away, but you can still hear it flapping its wings. What a terrible nightmare it is! Cockroaches have always been the worst and the most disgusting insects for human beings. _____, there are some pretty interesting facts about them. (A) They have survived on the earth for 300 million years, and it means they survived even the Ice Age. (B) The antennae they have act as a sensor to help them find a safe place when they are in danger. (C) They can eat almost everything, and they can be alive for a week without their heads. (D) There are several effective ways to get rid of cockroaches. (E) Their most amazing ability is this: they have resistance of nuclear radiation about 10 times higher than humans. It is not a joke if someone says that cockroaches will inherit the earth after a nuclear war destroys humanity.

* resistance: 저항력
** nuclear radiation: 핵 방사선

1 윗글에서 바퀴벌레의 특징으로 언급되지 <u>않은</u> 것은? [내용 불일치]

① 더듬이로 안전한 곳을 찾을 수 있다.
② 먹을 수 있는 것이 다양하다.
③ 머리가 없이도 일주일간 살 수 있다.
④ 방사선에 대한 저항력이 인간보다 뛰어나다.
⑤ 건조한 곳을 좋아한다.

2 윗글의 빈칸에 들어갈 말로 가장 적절한 것은? [빈칸 완성]

① In addition
② Unfortunately
③ Then
④ However
⑤ Overall

3 윗글에서 전체 흐름과 관계없는 문장은? [무관한 문장 찾기]

① (A)
② (B)
③ (C)
④ (D)
⑤ (E)

📝 **직독직해**

1 You / can still hear / it / flapping its wings.

→ _____

2 Cockroaches / have always been / the worst and the most disgusting insects / for human beings.

→ _____

3 They / have / resistance of nuclear radiation / about 10 times higher / than humans.

→ _____

03

People

지문 MP3
모바일 단어장

Have you heard of this expression, "life's ups and downs?" You may notice that ups in life means something good and positive, and downs in life, in contrast, means something bad or unsatisfactory. One of the worst mistakes you can make in life is to put yourself down.

Thomas Edison, one of the greatest inventors in history, once said "I have not failed. I have just found 10,000 ways that won't work," after he failed 10,000 times in his experiments of a light bulb. Because things didn't turn out as he expected, he could learn how to avoid the same mistake.

His way of thinking ultimately leads to _____(A)_____, while a negative attitude can only lead to _____(B)_____. If things go wrong, or if your expectation and achievement don't meet, it is important not to discourage yourself. Instead, think about what you have learned from the experience and how can you perform better next time.

* ups and downs: 인생의 흥하고 쇠함

1 윗글의 요지로 가장 적절한 것은? 요지 찾기

① 실패를 피하기 위해 계획을 잘 세워야 한다.
② 천재는 1%의 영감과 99%의 땀으로 이루어진다.
③ 실패에서 교훈을 얻을 수 있어야 한다.
④ 같은 실수를 반복하면 안 된다.
⑤ 성공하려면 끈기가 필요하다.

2 윗글의 빈칸 (A)와 (B)에 들어갈 말로 가장 적절한 것은? 빈칸 완성

	(A)		(B)
①	more learning	⋯⋯	success
②	downs in life	⋯⋯	mistakes
③	success	⋯⋯	failure
④	experiments	⋯⋯	experience
⑤	performance	⋯⋯	richness

3 윗글의 밑줄 친 부분을 어법에 맞게 고치시오. 어법

→ _____

직독직해

1 You / may notice / that / ups in life / means / something good / and positive.

→ _____

2 He / could learn / how to avoid / the same mistake.

→ _____

3 It is important / not to discourage / yourself.

→ _____

Words Review

Answers p.11

01

several	몇 개의	break down	고장 나다	careful	조심하는
junk mail	스팸메일	virus	(컴퓨터) 바이러스	destroy	파괴하다
entire	전체의	unfamiliar	낯선	safe	안전한
otherwise	그렇지 않으면	repair	수리하다		

02

wave	흔들다	scream	비명을 지르다	flap	(날개 등을) 퍼덕이다
cockroach	바퀴벌레	disgusting	역겨운	insect	곤충
survive	살아남다	antenna	더듬이	sensor	센서
danger	위험	alive	살아있는	effective	효과적인
get rid of	제거하다	ability	능력	resistance	저항력
nuclear	핵의, 원자력의	inherit	물려받다	humanity	인류

03

positive	긍정적인	in contrast	반면에	unsatisfactory	만족스럽지 않은
put down	나무라다	inventor	발명가	experiment	실험
light bulb	전구	avoid	피하다	the same	똑같은
ultimately	궁극적으로	lead to	(~한 결과로) 이어지다	negative	부정적인
attitude	태도	go wrong	잘못되다	expectation	기대
achievement	성과	discourage	낙담시키다	instead	대신
experience	경험	perform	수행하다		

다음 설명에 해당하는 단어를 보기에서 찾아 쓰시오. 영영풀이

보기	discourage	destroy	insect	experiment	scream

1 _____ to damage something so badly that it cannot be used
어떤 것을 심하게 손상을 입혀 사용할 수 없게 하다

2 _____ to make a loud noise with your voice 큰 목소리를 내다

3 _____ a small living thing with three body parts and six legs
세 개의 몸으로 나뉘고 다리가 여섯 개인 작은 생물

4 _____ a test that is done to gain new knowledge
새로운 지식을 얻기 위해 이루어지는 시험

5 _____ to make somebody feel less hopeful 누군가를 덜 희망적으로 느끼게 하다

60

UNIT

06

1 **WORLD STORIES**
유대인 소녀, 안네 프랑크의 일기

2 **TRADITION**
내 마음을 열쇠로 열어주세요!

3 **FUNNY STORIES**
잊을 수 없는 인터뷰

Guess What?

🔍 다음 중 〈안네의 일기〉의 시대적 배경으로 알맞은 것은 무엇일까?

A

B

C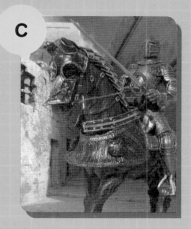

정답 확인

01 World Stories

confusion
혼란

harbor

siren

bomb

grab

escape

comfort

frighten

injured

awake

02 Tradition

celebrate

tradition

pick up

draw

wear

carve

couple

tattoo

reward

unlock

03 Funny Stories

interview

applicant

future

throw

puzzling

stormy

rescue

drown

vacant

ride

 다음 빈칸에 알맞은 말을 넣어 문장을 완성하시오.

1 Your old friend rescued you from _____ing.

2 Young men and women would _____ names from a bowl.

3 The whole house shook as the _____s came down.

4 The  _____ seat is only one.

5 Couples put _____s on their bodies to express their love.

 독해 탄탄 배경지식 넓히기

안네의 일기

안네의 일기는 독일 출신의 유대인 소녀 안네 프랑크가 1942년 6월부터 1944년 8월까지 쓴 일기이다. 히틀러의 박해를 피해 네덜란드로 이주했지만, 네덜란드가 독일군에 점령되자 약 2년 동안 그녀의 부모님과 언니 그리고 다른 4인의 가족은 은신처에서 지내게 된다. 안네는 생일 선물로 받은 일기장에 Kitty라는 이름을 붙여 전쟁과 죽음의 공포, 은둔 생활, 그녀 자신의 비밀과 고민거리를 편지 형식으로 써 내려갔고 이 일기장이 지금 우리가 읽는 안네 프랑크의 일기라는 책이다. 안타깝게도 그녀는 일행과 함께 독일 경찰에 의해 발각되어 체포되었고 수용소에서 약 6개월 간 수감 생활을 하다가 병에 걸려 16세의 어린 나이로 생을 마감하였다. 이 책은 수용소에서 살아 돌아온 아버지에 의해 출판되었다.

Guess What? 정답: A

Every day there was great confusion. At about two o'clock, the sirens began, and we heard heavy shooting. The whole house shook as the bombs came down. I grabbed my "escape bag," more for comfort than anything else. Everyone stood in the passageway and waited for it to be over. We went out to help the badly injured soldiers. In about half an hour, things became quiet. I went upstairs, and I saw towers of smoke coming up from over the harbor. We could smell everything ⓐ burning, too. Later during dinner, there was another air raid siren, and I completely lost my appetite. We heard the roar of the engines, and then the sound of the bombs ⓑ dropping. I was extremely ⓒ frightening. When I went to bed, my legs wouldn't stop ⓓ shaking. At midnight, I awoke, and 나는 침대 밖으로 뛰쳐나와서 아빠 방으로 달려갔다. The bombs kept ⓔ coming. I eventually fell asleep.

1 윗글의 글쓴이가 처해있는 상황으로 가장 적절한 것은? 내용 추론

① 전쟁   ② 지진   ③ 장례식

④ 화재   ⑤ 홍수

서술형

2 다음 설명에 해당하는 단어를 윗글에서 찾아 두 단어로 쓰시오. 어휘

> an attack in which bombs are dropped by planes

→ _____

3 윗글의 밑줄 친 ⓐ ~ ⓔ 중 어법상 틀린 것은? 어법

① ⓐ   ② ⓑ   ③ ⓒ   ④ ⓓ   ⑤ ⓔ

서술형

4 윗글의 밑줄 친 우리말과 일치하도록 주어진 단어를 배열하시오. 문장 완성

(ran into / I / and / Daddy's room / bed / out of / jumped)

→ _____

🖊️ **직독직해**

1 The whole house / shook / as / the bombs / came down.

→ _____

2 I / grabbed / my "escape bag," / more for comfort / than anything else.

→ _____

3 I / saw / towers of smoke / coming up / from over the harbor.

→ _____

02

Tradition

지문 MP3
모바일 단어장

On February 14th, people give their loved ones heart-shaped chocolates, red roses, gifts, and cards. Although no one knows exactly how Valentine's Day began, people have celebrated it for ages. Due to its long history, various traditions have existed throughout the world. During the Middle Ages in Europe, young men and women would pick up names from a bowl. The name they drew would be the person who was their valentine. Then, they would wear that name on their shirtsleeves for one week. In Wales, an old Valentine's Day tradition was for men to carve spoons out of wood and give them to ⓐ the special lady of their choice. They would often draw hearts, keys, and keyholes on them, which meant, "You ⓑ unlock my heart!" India, where the celebration began in the 1990s, has an interesting tradition. Couples put henna tattoos on their bodies to express their love. In England, children sing songs and are rewarded with candy, fruit, and sometimes money. From country to country, the Valentine's tradition is a little different. However, it must be a wonderful day full of happiness and love.

* valentine: (발렌타인 카드의 대상인) 좋아하거나 사랑하는 사람
** henna: 헤나 (적갈색 염료)

1 윗글에서 발렌타인데이의 전통으로 언급되지 <u>않은</u> 것은? 내용 불일치

① 그릇에 애인 이름을 써 넣어 강에 띄우기
② 옷 소매에 좋아하는 사람 이름 달고 다니기
③ 나무로 만든 스푼을 선물하기
④ 몸에 헤나 문신을 새기기
⑤ 어린이들이 노래하기

서술형

2 밑줄 친 ⓐ 대신 쓸 수 있는 말을 윗글에서 찾아 두 단어로 쓰시오. 내용 이해

→ _____

3 윗글의 밑줄 친 ⓑ unlock과 뜻이 같은 단어는? 어휘

① break　　　　　② warm　　　　　③ open
④ shut　　　　　⑤ sink

📝 직독직해

1 Due to / its long history, / various traditions / have existed / throughout the world.
→ _____

2 Couples / put henna tattoos / on their bodies / to express / their love.
→ _____

3 Children / sing songs / and / are rewarded / with candy, fruit, / and sometimes money.
→ _____

03

Funny Stories

지문 MP3
모바일 단어장

I was in a job interview two years ago. I was sitting with other applicants and the interviewer threw out a simple but puzzling question. The question was like this: One stormy night, you are driving in your car. As you pass a bus stop, you happen to see three people waiting for the bus: an old lady who looks like she will die sooner or later; your old friend who once rescued you from drowning; the perfect man or woman you have always dreamed of. The vacant seat is only one. Who do you offer a ride to? (A) I could choose the old lady since nothing is more valuable than life. (B) Or I could pick up my friend, so I could pay him back. (C) But what if the woman is my future wife? (D) While I was beating my brains out, ⓐ the person next to me had no difficulty coming up with ⓑ his answer. (E) ⓒ He answered: "I would rather hand the car keys to my friend, let ⓓ him take the old lady to the hospital, and ⓔ I would remain behind to wait for the bus with the woman."

* beat one's brains out: 매우 열심히 노력하다

68

1 윗글에서 얻을 수 있는 교훈으로 가장 적절한 것은? 요지 찾기

① Don't let the cat out of the bag.
② Never judge a book by its cover.
③ You should think outside of the box.
④ Don't stick your nose into someone else's business.
⑤ Don't count your chickens before they are hatched.

2 윗글의 밑줄 친 ⓐ ~ ⓔ 중에서 가리키는 대상이 나머지 넷과 다른 것은? 지칭 추론

① ⓐ   ② ⓑ   ③ ⓒ   ④ ⓓ   ⑤ ⓔ

3 글의 흐름으로 보아, 주어진 문장이 들어가기에 가장 적절한 곳은? 주어진 문장 넣기

> This put me in a dilemma; I didn't know whom I would give a ride to.

① (A)   ② (B)   ③ (C)   ④ (D)   ⑤ (E)

직독직해

1 As you pass a bus stop, / you happen to see / three people / waiting for the bus.

→ _____

2 I / could choose / the old lady / since / nothing is / more valuable / than life.

→ _____

3 The person / next to me / had no difficulty / coming up with his answer.

→ _____

01

confusion	혼란	heavy	많은, 대량의	shooting	발포, 발사
bomb	폭탄	grab	잡다	escape	탈출
comfort	위안	passageway	통로	injured	부상을 입은
raid	공격	completely	완전히	appetite	식욕
roar	포효 소리	extremely	극도로	awake	깨다
eventually	마침내				

02

celebrate	축하하다	due to	~ 때문에	various	다양한
tradition	전통	exist	존재하다	throughout	~ 곳곳에
draw	뽑다	carve	새기다, 깎다	special	특별한
unlock	열다	tattoo	문신	express	표현하다
reward	보상[보답]하다				

03

interview	인터뷰, 면접	applicant	지원자	interviewer	면접관
throw	던지다	puzzling	헷갈리는	stormy	폭풍우가 몰아치는
happen to	우연히 ~하다	sooner or later	곧	rescue	구조하다
drown	익사하다	perfect	완벽한	vacant	(좌석이) 빈
offer	제공하다	ride	탑승	pay back	되갚다
difficulty	어려움	come up with	생각해내다	dilemma	딜레마, 진퇴양난

✎ 다음 설명에 해당하는 단어를 보기에서 찾아 쓰시오. 영영풀이

보기	celebrate	grab	awake	puzzling	unlock

1 _____ to stop sleeping 잠자기를 멈추다

2 _____ to quickly take and hold something with your hand
손으로 빠르게 물건을 취해서 잡다

3 _____ to do something special for an important event
중요한 사건을 위해 뭔가 특별한 것을 하다

4 _____ to open the lock on something 어떤 것의 자물쇠를 열다

5 _____ difficult to solve or understand 풀거나 이해하기 어려운

70

Guess What?

다음 중 '여자와 아이들 먼저'라는 개념이 유래된 사건과 관련 있는 것은 무엇일까?

A

B

C

정답 확인

01
School Life

assignment
과제

ready

receive

solution

impossible

hesitate

ask for

accomplish

in need

expert

02
Origin

disaster

strike

sunken

rip

lifeboat

troop

evacuate

command

still

assist

03
Funny Stories

loan

additional

parking lot

safety

hand

straight

interest

charge

research

millionaire

 다음 빈칸에 알맞은 말을 넣어 문장을 완성하시오.

1 You may not be able to think of any _____ at all.

2 The rest of the _____s and passengers rushed to the deck.

3 I did some _____ on you and found out that you are a millionaire.

4 It is a man's duty to _____ women and children first in a disaster.

5 The loan officer has someone drive the car into the bank's _____.

 독해 탄탄 배경지식 넓히기

버큰헤드(Birkenhead)호 사건

영국 해군 수송선이었던 버큰헤드 호는 1852년 2월 26일 남아프리카공화국의 케이프타운에서 얼마 떨어지지 않은 곳에서 항해를 하던 중 암초에 부딪혀 서서히 침몰했다. 그 당시 약 650명의 군인들과 가족이 배에 있었는데 구명정의 수는 이들 모두가 탑승하기에는 턱없이 부족했다. 따라서 군인들은 여자들과 아이들을 포함한 약 190명에게 구명정을 먼저 양보하고 자신들은 갑판 위에서 사열식(군대 예식)을 하며 배와 함께 가라앉았다. 이 사건을 토대로 오늘날 유사시에 '여자와 아이들 먼저' 구조하는 개념이 생겨났다.

🔍 Guess What? 정답: C

01

School Life

지문 MP3
모바일 단어장

Have you ever had a difficult assignment or project that seemed impossible to get done in time? ⓐIf you're in this situation, you may not be able to think of any solution at all. Then what can you do? One good idea is to get help from your friends. Don't hesitate to ask for help. No matter how hard the project is, if people work together, everything can be accomplished. We can find some people who are willing to help others in need but are not ready to get help from others. Experts say that it's important not only to give a hand to others but also to ask for help and receive it. 어떤 일을 정말로 당신 혼자서 끝내고 싶다면, sometimes just hearing another person's ideas or suggestions can open your eyes to a whole new answer. Remember, "You're not alone!"

1 윗글의 주제를 가장 잘 표현한 속담은? 주제 찾기

① 백지장도 맞들면 낫다.
② 호미로 막을 것을 가래로 막는다.
③ 재주는 곰이 부리고 돈은 주인이 받는다.
④ 등잔 밑이 어둡다.
⑤ 뛰는 놈 위에 나는 놈 있다.

2 윗글의 밑줄 친 ⓐ와 같은 상황에 처해 있는 사람은? 내용 추론

① 부모님과 의견 충돌이 있는 민아
② 수학 경시대회에서 금메달을 딴 은이
③ 친구와 말다툼을 해서 속이 상한 진수
④ 회장 선거에 나갔다가 참패한 선주
⑤ 내일 마감인 보고서를 한 줄도 못 쓴 수희

3 윗글의 밑줄 친 우리말과 일치하도록 괄호에 주어진 단어를 배열하시오. 문장 완성

(get / want / if / really / you / to / done / by yourself / something)

→ _____

직독직해

1 If / you're / in this situation, / you / may not be able / to think of / any solution / at all.

→ _____

2 One good idea / is / to get help / from your friends.

→ _____

3 We / can find / some people / who are willing to / help others / in need.

→ _____

02

Origin

지문 MP3
모바일 단어장

Have you heard of the saying "Women and Children First"? The tradition "Women and Children First" originates from the Birkenhead wreck in 1852. The expression means that the lives of women and children are the first to be saved. The H.M.S. Birkenhead, one of the first iron-hulled ships, was sailing off the coast of southern Africa, carrying 638 men, women, and children. ⓐ There was absolutely no indication of disaster in the clear sky and calm sea. Suddenly, the giant ship struck a sunken rock off Danger Point. In an instant the belly of the ship ripped open, and just over a hundred soldiers drowned as they were sleeping. The rest of the troops and passengers rushed to the deck. In complete chaos, Senior Officer Seton drew his sword and commanded his officers to assemble on the deck and stand still since rushing to the lifeboats all at once could bring a disaster. Then he asked some of them to assist the women and children into the three available lifeboats. _____, the ship sank with the loss of 445 lives after the women and children were safely on board lifeboats. Even today, it is believed that it is a man's duty to evacuate women and children first in a disaster.

* iron-hulled: 선체가 철로 된
** belly: (배 아래의) 동그란 부분

76

1 밑줄 친 ⓐ를 가장 잘 나타낸 우리말 속담은? 내용 이해

① 그림의 떡
② 우물가에서 숭늉 찾는다.
③ 종로에서 뺨 맞고 한강 가서 눈 흘긴다.
④ 하늘은 스스로 돕는 자를 돕는다.
⑤ 마른하늘에 날벼락

2 윗글의 빈칸에 들어갈 말로 가장 적절한 것은? 빈칸 완성

① For example   ② Eventually   ③ Above all
④ Again   ⑤ Besides

서술형

3 보기에 주어진 말을 이용하여 다음 요약문을 완성하시오. 요약문 완성

| 보기 | evacuated | disaster | sinking | board | save |

The "Women and Children First" tradition means that we should _____ women and children first in a _____. It began in 1852, when the H.M.S. Birkenhead was _____, and the soldiers gave up their own lives to save the women and children on _____. Even today, women and children are _____ first during a disaster according to the tradition.

직독직해

1 The lives / of women and children / are / the first / to be saved.
→ _____

2 Rushing / to the lifeboats / all at once / could bring / a disaster.
→ _____

3 It is / a man's duty / to evacuate / women and children first / in a disaster.
→ _____

03

Funny Stories

지문 MP3
모바일 단어장

A New Yorker, just before leaving for Europe on a business trip, takes his Lamborghini to a bank and goes inside to ask for a quick $5,000 loan. The loan officer, very (A) [surprised / surprising], says that he must have some sort of valuable things for the loan, so the man says, "Here is the key to my Lamborghini." The loan officer has someone (B) [drive / to drive] the car into the bank's parking lot for safety, then hands the man $5,000. After two weeks, the man comes back from his trip and goes straight to the bank to settle his loan and get his car back. He gives $5,000 to the loan officer and asks for his car back. The loan officer replies, "There is an additional interest charge of $16.20, sir." The man then gives him the $16.20 and starts (C) [to leave / to leaving] with his key. "Sir," the loan officer says, "while you were away, I did some research on you and found out that you are a millionaire. Why did you borrow $5,000 from us?" The man smiles and says, "Where else could I park my Lamborghini safely in New York for 2 weeks and pay only $16.20?"

* settle: 지출하다, 정산하다

78

1 윗글의 분위기로 가장 알맞은 것은? 글의 분위기

① peaceful   ② educational   ③ humorous
④ violent   ⑤ tragic

2 윗글의 밑줄 친 부분의 의미로 가장 적절한 것은? 내용 이해

① 뉴욕에 주차할 곳이 없다.
② 은행에 주차하는 것은 위험하다.
③ 뉴욕은 주차비가 비싸다.
④ 은행은 주차비로 하루에 1달러 이상 청구하지 않는다.
⑤ 뉴욕에는 안전한 주차장이 많다.

3 윗글의 (A), (B), (C)에서 어법에 맞는 것끼리 짝지어진 것은? 어법

	(A)		(B)		(C)
①	surprised	……	drive	……	to leave
②	surprising	……	to drive	……	to leaving
③	surprised	……	drive	……	to leaving
④	surprising	……	to drive	……	to leave
⑤	surprised	……	to drive	……	to leaving

직독직해

1 He / must have / some sort of / valuable things / for the loan.

→ _____

2 He / gives / $5,000 / to the loan officer / and asks for / his car back.

→ _____

3 I / did some research / on you / and found out / that you are a millionaire.

→ _____

Words Review

Answers p.15

01

assignment	과제	project	프로젝트	get ~ done	~을 끝내다
situation	상황	solution	해결책	hesitate	망설이다
ask for	부탁하다	accomplish	이루다	willing	기꺼이 ~하는
in need	도움이 필요한	ready	준비된	expert	전문가
give a hand	도와주다	suggestion	제안		

02

absolutely	틀림없이	indication	징후, 표시	disaster	재난
strike	부딪치다, 때리다	sunken	가라앉은	in an instant	즉시
rip	찢다, 찢기다	troop	군대	complete	완전한
senior	선임의	command	명령하다	assemble	모이다
still	움직이지 않는	assist	돕다	available	이용 가능한
loss	죽음, 인명 손실	evacuate	대피시키다, 대피하다		

03

loan	대출(금)	sort	종류	valuable	귀중한
parking lot	주차장	safety	안전	hand	건네주다
straight	곧바로	settle	(빚 등을) 처리하다	additional	추가적인
interest	이자	charge	요금	research	조사
millionaire	백만장자	safely	안전하게		

다음 설명에 해당하는 단어를 보기에서 찾아 쓰시오. 영영풀이

보기	millionaire	evacuate	assignment	loan	command

1 _____ a task that a student has to do 학생들이 해야 하는 일

2 _____ to give someone an order 누군가에게 지시를 내리다

3 _____ to remove someone from a dangerous place
누군가를 위험한 곳에서 나오게 하다

4 _____ money that you borrow from a bank 은행으로부터 빌린 돈

5 _____ a very rich person 돈이 매우 많은 사람

UNIT

08

1 ENTERTAINMENT
뮤지컬 '캣츠'

2 INTERESTING INFO
내향적인 사람 vs. 외향적인 사람

3 SCIENCE
유익한 곤충 vs. 해충

〈메모리〉라는 곡으로 전 세계적으로 유명한 뮤지컬은 다음 중 어떤 동물의 삶을 다룰까?

A

B

C

정답 확인

01 Entertainment

musical
뮤지컬

play

various

combine

dialogue

similar

different

theater

gymnasium

tent

02 Interesting Info

divide

uncomfortable

introvert

extrovert

deep

thought

recharge

join

energetic

nervous

03 Science

sting

crop

silk

cloth

irritating

bite

chirp

feed on

environment

pest

 다음 빈칸에 알맞은 말을 넣어 문장을 완성하시오.

1 They _____ small flying insects.

2 People can be largely _____ d into two basic types.

3 Grasshoppers and crickets destroy _____ s and grass.

4 When they meet new people, they don't feel _____.

5 Many people usually watch *Cats* in big _____ s.

독해 탄탄 배경지식 넓히기

뮤지컬 〈캣츠〉

뮤지컬 〈캣츠〉는 전 세계적으로 사랑 받는 뮤지컬 중에 하나로 〈오페라의 유령〉,
〈레 미제라블〉, 〈미스 사이공〉과 함께 세계 4대 뮤지컬에 속하기도 한다. 노벨 문학상
수상자인 T. S. 엘리엇의 시 〈지혜로운 고양이가 되기 위한 지침서〉를 기초로 작사를
하고 곡을 붙여서 1981년 영국 런던에서 최초로 선보였다. 그 후 미국 브로드웨이에도
진출을 했고 그 밖의 여러 나라와 도시에서 공연을 하는 등 그 인기를 유지하고 있으며
대표곡인 〈메모리〉는 세계적인 히트곡이 되었다.

🔍 Guess What? 정답: B

01

Entertainment

Do you like musicals? Have you ever seen a musical? Many people think that a musical is _____(A)_____ to a play. Yes, it's true. It is like a play but _____(B)_____. A musical is a performance that combines music, songs, spoken dialogues, and dance. Among all the musicals, ⓐ <u>*Cats*</u> is regarded as one of the best musicals in the world. Since ⓑ <u>it</u> first opened in 1981, it has become one of the best-loved musicals. *Cats* has played in over 30 countries and in about 250 cities, including Buenos Aires, Helsinki, Singapore, and Seoul. There are various versions of ⓒ <u>the show</u> in 20 different languages. Though people usually watch *Cats* in big theaters, ⓓ <u>it</u> has played not only in theaters, but also in tents in Japan and Korea, an engine shed in Switzerland, and school gymnasiums across the USA. Wouldn't ⓔ <u>it</u> be fun to enjoy musicals in various places?

* engine shed: 기관차고

84

1 〈캣츠〉에 관한 윗글의 내용과 일치하지 <u>않는</u> 것은? [세부 정보]

① 1981년에 처음 공연되어 지금까지 인기를 누리고 있다.
② 한국과 일본을 포함한 30개국 이상의 세계 여러 곳에서 공연되었다.
③ 고양이의 삶을 다루는 세계적으로 사랑받는 연극이다.
④ 학교 체육관과 천막 등 다양한 장소에서 공연되었다.
⑤ 다른 언어로 번역된 다양한 버전이 있다.

2 윗글의 빈칸 (A)와 (B)에 들어갈 말로 가장 적절한 것은? [빈칸 완성]

(A)		(B)
① different	‥‥‥	close
② enjoyable	‥‥‥	difficult
③ difficult	‥‥‥	easy
④ similar	‥‥‥	different
⑤ same	‥‥‥	similar

3 윗글의 밑줄 친 ⓐ ~ ⓔ 중에서 가리키는 대상이 나머지 넷과 <u>다른</u> 것은? [지칭 추론]

① ⓐ   ② ⓑ   ③ ⓒ   ④ ⓓ   ⑤ ⓔ

직독직해

1 Since / it first opened / in 1981, / it has become / one of / the best-loved musicals.

→ _____

2 There are / various versions / of the show / in 20 different languages.

→ _____

3 Wouldn't it be fun / to enjoy musicals / in various places?

→ _____

People can be largely divided into two basic types. One of those groups is called introverts. Introverts are often quiet people. They tend to feel uncomfortable when they are at parties or around a lot of people. They don't like to join "small talk" with people, but instead like to have deep conversations with close friends. They are not <u>antisocial</u> people; they just like to be alone with their thoughts. They often feel tired when they are around people they don't know well, so they like to be alone to "recharge" their energy. The other group of people are called extroverts. _____ introverts, they like parties or enjoy being with a lot of people. This type of person is outgoing and feels energetic when they are around many people. They prefer staying outside with people to being alone at home. When they meet some people for the first time, they don't feel nervous or uncomfortable.

* introvert: 내향적인 사람
** small talk: 날씨와 같은 가벼운 주제를 다룬 대화
*** extrovert: 외향적인 사람

1 내향적인 사람(introverts)과 외향적인 사람(extroverts)의 특징을 바르게 짝지은 것은? 내용 이해

ⓐ usually quiet
ⓑ love to think about things
ⓒ like having "small talk"
ⓓ not nervous around new people
ⓔ uncomfortable around new people
ⓕ need to be alone to regain their energy
ⓖ love being with lots of people
ⓗ feel energetic around lots of people
ⓘ prefer deep conversations
ⓙ like parties

① introverts - ⓒ, ⓓ, ⓖ, ⓗ, ⓙ
② extroverts - ⓐ, ⓒ, ⓔ, ⓖ, ⓘ
③ introverts - ⓐ, ⓑ, ⓔ, ⓕ, ⓘ
④ extroverts - ⓒ, ⓓ, ⓖ, ⓘ, ⓙ
⑤ introverts - ⓐ, ⓒ, ⓓ, ⓖ, ⓗ

2 윗글의 밑줄 친 단어 antisocial의 영영풀이로 옳은 것은? 어휘

① not talkative
② very hard to understand
③ very easy to get angry
④ having a very soft voice
⑤ not friendly to other people

3 윗글의 빈칸에 들어갈 말로 가장 적절한 것은? 빈칸 완성

① Unlike
② Instead of
③ Despite
④ According to
⑤ Similar to

🖊 직독직해

1 People / can be largely divided / into two basic types.
→ _____

2 They / tend to / feel uncomfortable / when / they are at parties / or / around a lot of people.
→ _____

3 They / prefer staying outside / with people / to / being alone at home.
→ _____

03

Science

지문 MP3
모바일 단어장

You probably have the experience of being stung by bees or hearing crickets chirp late at night or early in the morning. (A) They are such small creatures and could be the last things some people care about. (B) As there is always good and bad with everything, insects are both helpful and harmful depending on the species. (C) For example, mosquitoes can deliver an irritating bite and carry diseases like malaria. (D) Furthermore, grasshoppers and crickets destroy crops and grass, and plant louses stick to the plants and cause the growth of various harmful fungi and molds. (E) On the other hand, bees, silk worms, and dragonflies are the insects that we can take advantage of. Bees provide us with nutritious honey and wax. In addition, they help in the reproduction of plants, which is important for the environment. Silk worms also do a great job for humans, giving us silk for making sewing thread and fine cloth. Dragonflies are beneficial insects to humans as well. They feed on small flying insects such as flies and mosquitoes, keeping the populations of pests down.

* plant louse: 진딧물
** fungus: 균류 (복수: fungi)
*** mold: 곰팡이

1 윗글에 언급된 곤충들에 대한 내용으로 일치하지 <u>않는</u> 것은? 내용 불일치

① 모기 – 전염병을 옮김
② 귀뚜라미 – 해로운 곰팡이를 퍼뜨림
③ 벌 – 식물을 번식하게 함
④ 누에 – 옷감을 만드는 실을 제공
⑤ 잠자리 – 해충을 잡아먹음

2 글의 흐름으로 보아, 주어진 문장이 들어가기에 가장 적절한 곳은? 주어진 문장 넣기

> Other people, on the other hand, keep insects as pets.

① (A)　　　② (B)　　　③ (C)　　　④ (D)　　　⑤ (E)

3 윗글의 밑줄 친 take advantage of와 뜻이 같은 단어는? 어휘

① raise
② see
③ use
④ catch
⑤ repel

직독직해

1 Insects are / both helpful and harmful / depending on the species.

→ _____

2 Bees / provide us / with nutritious honey and wax.

→ _____

3 They / help / in the reproduction of plants, / which is important / for the environment.

→ _____

Words Review

Answers p.17

01

play	연극	performance	공연	combine	결합하다
dialogue	대화	regard	~라고 여기다	open	(공연 등이) 시작하다
best-loved	가장 사랑받는	version	판, 형태	theater	극장
gymnasium	체육관	various	다양한		

02

largely	크게	divide	나누다	uncomfortable	불편한
join	~에 참여하다	instead	대신에	antisocial	비사교적인
alone	혼자서	thought	생각	recharge	재충전하다
outgoing	사교적인	energetic	활력 넘치는	nervous	긴장한

03

experience	경험	sting	(침으로) 쏘다	cricket	귀뚜라미
chirp	(새, 벌레 등이) 울다	creature	생명체	harmful	해로운
deliver	전달하다	irritating	짜증나는	bite	물기, 물린 상처
grasshopper	메뚜기	stick to	~에 들러붙다	nutritious	영양가 있는
wax	밀랍	reproduction	생식, 번식	beneficial	이로운
feed on	~을 먹다	population	인구, 개체 수	pest	해충

다음 설명에 해당하는 단어를 보기에서 찾아 쓰시오. [영영풀이]

| 보기 | outgoing | combine | harmful | beneficial | performance |

1 _____ an activity that is done to entertain people
사람들을 즐겁게 하기 위해 이루어지는 활동

2 _____ to mix two or more things together
두 개 이상의 것을 섞다

3 _____ enjoying meeting other people
다른 사람들을 만나는 것을 즐기는

4 _____ bad for something or someone
어떤 것이나 어떤 사람에게 나쁜

5 _____ having a good effect
좋은 효과가 있는

다음 중 생체 인증 시, 가장 보편적으로 쓰이는 것은 무엇일까?

A

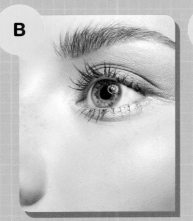

B

C

독해 탄탄 VOCA Check 1

정답 확인

01 History

disagree
동의하지 않다

record

decade

produce

climate

mix

powder

add

tasty

pure

02 Interesting Facts

fingerprint

criminal

capture

born

growth

identity

identity

pattern

pregnancy

pressure

reliable

03 Origin

tool

evidence

allow

explain

predator

distinguish

discover

reveal

confidence

toxin

 다음 빈칸에 알맞은 말을 넣어 문장을 완성하시오.

1 When a person is _____ed, his or her fingerprints are taken.

2 The first _____ of it dates back to over 1500 years ago.

3 What _____es humans from other creatures?

4 How are _____s a reliable way to identify individuals?

5 A Swiss food company _____ed dried milk to it.

독해 탄탄 배경지식 넓히기

지문 인식(Fingerprint Identification)

지문 인식은 사람마다 각자 다른 지문을 가지고 있다는 점을 이용하여 시스템에 접근하는 사용자가 등록된 인물인지 확인하는 절차이다. 지문은 추출하고 비교하기 쉽다. 그래서 지문인식이 휴대전화 잠금장치 및 모바일뱅킹 인증 장치로써 다른 생체 인증 방식보다 가장 보편적으로 쓰이고 있다. 똑같은 패턴의 지문이 존재할 확률은 약 1/640억이라 이론적으로 보안성은 높으나 지문 센서의 상태에 따라 실제 사용 시 약 1% 미만의 오류 확률을 보인다고 한다.

Guess What? 정답: A

01

History

지문 MP3
모바일 단어장

What does Valentine's Day remind you of? Maybe it's chocolate! Actually chocolate helps everybody feel happier physically and mentally. How old do you think chocolate is? The answer is, well, nobody really knows for sure! The first record of it dates back to over 1500 years ago, in Central America where the climate provided and still provides the perfect place to grow Cacao trees. Chocolate, as we know it today, started in England in 1847 when a food company there mixed sugar with cocoa powder, cocoa butter, and water to make the world's first chocolate bar. A few decades later, in 1875, a Swiss food company added dried milk to it to produce the world's first milk chocolate. Some people think that this was a big improvement in the taste of chocolate, and others disagree, saying that it is less pure and less tasty when it is mixed with milk.

1 윗글의 주제로 가장 적절한 것은? 주제 찾기

① 발렌타인데이의 유래   ② 카카오 재배 환경   ③ 초콜릿의 건강 효능
④ 초콜릿 만드는 법   ⑤ 초콜릿의 역사

2 오늘날과 같은 형태의 초콜릿이 최초로 만들어진 곳은? 세부 사항

① England   ② the United States   ③ Central America
④ Switzerland   ⑤ Ghana

3 윗글에서 스위스에 관한 사실로 언급된 것은? 내용 일치

① 1500년 전 초콜릿을 먹기 시작했다.
② 많은 나라에 초콜릿을 수출한다.
③ 다크 초콜릿으로 유명하다.
④ 처음 밀크 초콜릿을 개발했다.
⑤ 세계 최대의 카카오 생산지이다.

직독직해

1 Actually / chocolate / helps / everybody / feel happier / physically and mentally.

→ _____

2 Chocolate, / as we know it today, / started in England / in 1847.

→ _____

3 Others / disagree, / saying that / it is less pure / and less tasty / when it is mixed / with milk.

→ _____

지문 MP3
모바일 단어장

In movies, TV series, and books, a criminal often leaves a fingerprint on something causing him or her to be captured by the police. How are fingerprints a reliable way to identify individuals? As you may well know, fingerprints are the impressions formed by ridges and grooves in the skin covering your fingers. They are shaped before you are born and remain unchanged throughout your whole life. Surprisingly, nobody else in the world has _____ patterns as you. The patterns on your fingertips are affected by factors, during pregnancy, such as nutrition, blood pressure, the growth rate of the fingers, and the position in the womb. They make it impossible for two people to have _____ fingerprint. In Korea, people have their fingerprints taken when they are issued a resident's registration card. In the US, when a person is arrested, his or her fingerprints are taken and registered into the Automated Fingerprint Identification System. Thus, fingerprints are one of the many ways to verify an individual's identity.

* ridge: 산등성이, 솟은 부분
** groove: 홈
*** Automated Fingerprint Identification System: 자동지문식별시스템

1 윗글에서 지문을 형성하는 요인으로 언급되지 <u>않은</u> 것은? 내용 불일치

① 태아의 영양 상태
② 태아의 혈압
③ 태아의 성별
④ 태아의 손가락 성장률
⑤ 자궁에서 태아의 위치

2 윗글의 빈칸에 공통으로 들어갈 말로 가장 적절한 것은? 빈칸 완성

① basic
② different
③ regular
④ normal
⑤ the same

서술형

3 보기에 주어진 말을 이용하여 다음 요약문을 완성하시오. 요약문 완성

| 보기 | lifetime | form | unchanged | identification | pattern | surface |

A fingerprint is the _____ on the _____ of the ends of the fingers. Some factors, during pregnancy, affect the _____ of a fingerprint, and it remains _____ during one's _____ . It is unique to each person, so it is used as a means of _____ , especially of criminals.

직독직해

1 They / are shaped / before you are born / and / remain unchanged / throughout your whole life.

→ _____

2 People / have their fingerprints taken / when / they / are issued / a resident's registration card.

→ _____

3 Fingerprints / are one of the many ways / to verify / an individual's identity.

→ _____

03

Origin

지문 MP3
모바일 단어장

(A)

Apparently, Homo erectus, the first upright men, knew how to control fire and it helped them in many ways. What did fire do for early humans? They used fire for light, so their activities were no longer limited to the daytime. Furthermore, it fought off predators.

(B)

What distinguishes humans from other creatures? Human beings are set apart from other creatures by their ability to use tools and make fire. While nobody can explain how early humans discovered fire, there is very convincing evidence revealing early human's ability to control fire.

(C)

Fire also gave them the confidence to leave their familiar habitats and settle in new, unfamiliar places. It allowed them to cook plants and animals, which makes food more digestible and reduces plant toxins. As a result, the human ability of making, controlling, and using fire was a landmark in the development of the human species.

*landmark: 획기적 사건

1 윗글 (A), (B), (C)의 순서로 가장 적절한 것은? [글의 순서 정하기]

① (A) – (C) – (B)　　　② (B) – (A) – (C)　　　③ (B) – (C) – (A)
④ (C) – (A) – (B)　　　⑤ (C) – (B) – (A)

2 윗글에서 불이 가능하게 한 것으로 언급되지 <u>않은</u> 것은? [내용 불일치]

① 어둠을 밝힘　　　② 추위를 피함　　　③ 음식을 조리함
④ 맹수를 쫓아냄　　　⑤ 새 장소에 정착함

3 윗글을 읽고, 다음 질문에 대한 답으로 알맞은 것은? [내용 이해]

> According to the passage, what makes humans different from other species?

① They have the ability to hunt at night.
② They have no problem digesting toxic plants.
③ They are good at moving from place to place.
④ They are able to control fire and use tools.
⑤ They can walk and run upright.

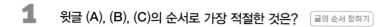 직독직해

1 Their activities / were no longer / limited / to the daytime.

→ _____

2 Nobody / can explain / how / early humans / discovered fire.

→ _____

3 Fire / also gave / them / the confidence / to leave / their familiar habitats.

→ _____

Words Review

Answers p.19

01

remind	떠올리게 하다	actually	실제로	physically	육체적으로
mentally	정신적으로	nobody	아무도 ~않다	for sure	확실히
record	기록	date back to	~로 거슬러 올라가다	climate	기후
provide	제공하다	powder	가루	improvement	개선
disagree	동의하지 않다	pure	순수한		

02

criminal	범죄자	fingerprint	지문	capture	붙잡다
reliable	믿을 수 있는	identify	밝히다	individual	개인
impression	자국	pattern	무늬	affect	영향을 주다
factor	요인	pregnancy	임신	nutrition	영양분
blood pressure	혈압	rate	비율	womb	자궁
impossible	불가능한	issue	발급하다	resident	주민
arrest	체포하다	register	등록하다	verify	확인하다
identity	정체, 신원				

03

apparently	겉보기에는	upright	직립의	limited	국한되다
daytime	낮 시간	fight off	~와 싸워 물리치다	predator	맹수, 포식자
distinguish	구분하다	ability	능력	discover	발견하다
convincing	확실한	evidence	증거	reveal	밝히다, 드러내다
confidence	자신감	habitat	서식지	digestible	소화가 되는
as a result	결과적으로				

🖊 다음 설명에 해당하는 단어를 보기에서 찾아 쓰시오. 영영풀이

보기	criminal	disagree	predator	upright	climate

1 _____ the usual weather pattern in a particular place
어떤 곳에서 규칙적으로 나타나는 일상적인 날씨

2 _____ to have a different opinion 의견이 다르다

3 _____ a person who did illegal activities 불법적인 행동을 한 사람

4 _____ standing or sitting straight up 똑바로 서거나 앉는

5 _____ an animal that kills and eats other animals 다른 동물을 죽여서 먹는 동물

Guess What?

다음 중 그리스 신화에 따르면 가장 무서운 형벌은 무엇일까?

A

B

C

정답 확인

01

Health

organ
신체 기관

protect

skull

cell

opposite

nerve

count

stimulate

calculate

workout

02

Technology & Life

praise

intellectual

unpleasant

addiction

anxious

give up

alcohol

gambling

warning

emptiness

03

Myth

clever

cunning

punishment

refuse

universe

roll

discouraged

summit

repeat

make fun of

 다음 빈칸에 알맞은 말을 넣어 문장을 완성하시오.

1 Sisyphus had to roll a rock up to the _____ of the mountain.

2 _____ something or count numbers wherever you are.

3 Sisyphus _____d to respect the order of the universe.

4 The brain is one of the most important human _____s.

5 There are _____ side effects of using the smartphone all the time.

독해 탄탄 배경지식 넓히기

시시포스(시지프)

시시포스(Sisyphus)는 그리스 신화에 등장하는 인물로서 아무 의미가 없는 똑같은 일을 끝없이 반복해야 하는 무시무시한 형벌을 받는 것으로 유명하다. 그는 자신의 욕심을 충족하고자 꾀를 부려 남들을 속이길 좋아했다. 심지어 살해까지 하였는데 자신을 데리러 온 죽음의 신조차 잡아두는 악행을 저질렀다. 그 후에도 다른 신들을 능욕하며 세상을 비웃듯 자신이 원하는 대로 삶을 살았다. 그는 결국 저승에서 큰 돌을 가파른 산꼭대기 위로 굴려야 하는 벌을 받았다. 돌이 정상에 이르면 밑으로 내려가기에 그 돌을 다시 산꼭대기로 올려야 하는 세상에서 가장 무서운 벌을 받는 셈이 되었다.

🔍 Guess What? 정답: B

Health

지문 MP3
모바일 단어장

The brain is one of the most important human organs, which is protected by a hard skull. It is divided into two parts, left and right, and contains thousands of nerve cells controlling your body's different functions. In addition, it regulates memory, emotions, languages, and learning, and controls more basic functions such as eating, sleeping, and heart rate. As a matter of fact, it is the commander of your body. Then what can you do to make the brain work better? Depending on how you live, your brain can work better or worse. First, play games like crosswords, Sudoku puzzle, or chess. They help improve your brain's speed and memory. ⓐ Second, if you are left-handed, try to use your opposite hand. It helps stimulate parts of the brain that you don't normally use. Third, calculate something or count numbers wherever you are. Several parts of your brain are activated when you do something with numbers. Finally, pick a book that has a totally new subject and read. ⓑ It will give your brain a workout.

* stimulate: 자극하다

1 윗글을 읽고 답할 수 <u>없는</u> 질문은? 〔세부 사항〕

① What protects our brain?
② What happens to our brain as we get older?
③ How many parts does our brain have?
④ What functions does our brain have?
⑤ What can we do to improve our brain?

2 윗글의 밑줄 친 **ⓐ**를 통해 글쓴이가 말하고자 하는 내용은? 〔내용 이해〕

① 오른손잡이가 뇌를 더 많이 쓴다.
② 손의 움직임이 뇌에 제일 큰 영향을 미친다.
③ 사람에 따라 주로 사용하는 손이 다르다.
④ 몸을 움직여야 학습 능력이 올라간다.
⑤ 양쪽 뇌를 균형적으로 사용해야 한다.

3 밑줄 친 **ⓑ**가 가리키는 것을 우리말로 쓰시오. 〔지칭 추론〕

→ _____

직독직해

1 What / can you do / to make / the brain / work better?

→ _____

2 Depending on / how you live, / your brain / can work / better or worse.

→ _____

3 Calculate something / or / count numbers / wherever you are.

→ _____

02

Technology & Life

지문 MP3
모바일 단어장

Smartphones are often praised as incredible intellectual tools. But recently we have begun to realize that there are unpleasant side effects of using the smartphone all the time. The term "addiction" is used to define "a habit that is so strong that one cannot give it up." People are addicted to various things, from coffee and alcohol to gambling and their work. But can people really become addicted to smartphones? The warning signs are various and can include any of the following:

☆ Feelings of emptiness when not on-line

☆ Lack of control over time spent using your smartphone

☆ Waking up early or staying up late to play with your smartphone

☆ Taking your smartphone everywhere you go and being anxious to check it all the time

☆ Getting nervous if you let an hour go by without <u>check</u> text messages

☆ Believing that your SNS friends, who you haven't actually met, are your best friends

* SNS(social network service): 사회관계망서비스

106

Answers p.20

1 윗글에 언급된 스마트폰 중독의 사례와 거리가 <u>먼</u> 사람은? 내용 추론

① 스마트폰으로 게임을 하느라 매일 밤늦게 자는 민준
② 스마트폰이 인터넷에 연결되지 않으면 허전하고 불안한 하린
③ 하루에 1시간 동안 SNS 활동을 하는 시우
④ 만나본 적이 없는 SNS 팔로워를 제일 친한 친구로 여기는 도윤
⑤ 친구와 여행을 가서도 수시로 스마트폰을 확인하는 서연

서술형

2 다음 영영풀이에 해당하는 표현을 윗글에서 찾아 두 단어로 쓰시오. 어휘

> unplanned results of an action or event

→ _____

서술형

3 윗글의 밑줄 친 **check**를 알맞은 형태로 고쳐 쓰시오. 어법

→ _____

 직독직해

1 Smartphones / are often praised / as / incredible intellectual tools.

→ _____

2 People / are addicted / to various things, / from coffee and alcohol / to gambling and their work.

→ _____

3 The warning signs / are various / and / can include / any of the following.

→ _____

03

What do you think the worst punishment is? How about a never-ending punishment? According to Greek Mythology, Sisyphus was a clever but cunning individual, making fun of the Gods, breaking the rules, and refusing to respect the order of the universe. For his punishment, the Gods made him eternally roll a rock up to the top of a mountain and see it roll back down every time it reaches the summit. (A) French philosopher Albert Camus mentioned in his book that Sisyphus probably had a chance to think back on his life as the rock rolled back down. (B) Sisyphus knew his fate of rock rolling was the new meaning of his life. (C) He accepted his fate and went down the mountain so he could roll the rock back up again. (D) Comparing humanity to Sisyphus, Camus claimed that <u>a modern person's life is not different from Sisyphus'</u>. (E) Camus even suggested that a person should find the meaning of the life from his or her endlessly repeating routines. Fortunately, you have a choice: will you be discouraged and give up at the sight of the rock rolling back down or will you start the day with a renewed passion even if that day will be the same as before?

108

1 윗글의 내용을 바탕으로 다음 질문에 답하시오. 세부 사항

> Q: Why did Sisyphus get punished?
> A: He _____ fun of the Gods and _____ the rules of the universe.

2 글의 흐름으로 보아, 주어진 문장이 들어가기에 가장 적절한 곳은? 주어진 문장 넣기

> The Gods thought that there was no crueler punishment than pointless and hopeless labor

① (A)　　　　② (B)　　　　③ (C)　　　　④ (D)　　　　⑤ (E)

3 윗글의 밑줄 친 부분을 아래와 같이 풀어서 설명할 때, 보기에 주어진 말을 골라 빈칸을 완성하시오. 내용 이해

> 보기　routines　roll　repeat　summit　modern　meaningful

Sisyphus has to _____ a huge rock up to the mountain top, but it rolls back down whenever he moves it to the _____. He has to _____ this meaningless job forever. Camus saw a _____ person's life in Sisyphus' fate. According to him, we have to follow _____ repeatedly until we die, even though there seems to be no _____ purpose to it.

직독직해

1 Sisyphus knew / his fate / of rock rolling / was the new meaning / of his life.

→ _____

2 He went down / the mountain / so / he could roll / the rock / back up again.

→ _____

3 Will you / be discouraged / and give up / at the sight of / the rock rolling back down?

→ _____

Words Review

Answers p.21

01

organ	신체 기관	protect	보호하다	skull	두개골
nerve	신경	function	기능	regulate	제어하다
emotion	감정	heart rate	심박 수	commander	사령관
opposite	반대의	stimulate	자극하다	normally	정상적으로
calculate	계산하다	activate	작동시키다	workout	운동

02

praise	칭찬하다	incredible	놀라운	intellectual	지적인
unpleasant	불쾌한	side effect	부작용	addiction	중독
define	정의하다	habit	습관	give up	포기하다
addicted	중독된	alcohol	알코올, 술	gambling	도박
warning	경고, 주의	emptiness	공허감	anxious	불안해하는, 열망하는

03

punishment	처벌	cunning	교활한	refuse	거절하다
respect	존중하다	universe	우주	eternally	영원히
summit	꼭대기	think back on	~에 대해 반성하다	fate	운명
compare	비교하다	humanity	인류	claim	주장하다
suggest	제안하다	endlessly	끝없이	discouraged	낙담한
renewed	새로워진	passion	열정	pointless	의미 없는

다음 설명에 해당하는 단어를 보기에서 찾아 쓰시오. 영영풀이

| 보기 | protect | universe | regulate | fate | anxious |

1 ＿＿＿＿＿ to control the speed, pressure, or temperature in a system
한 시스템의 속도, 압력, 온도 등을 통제하다

2 ＿＿＿＿＿ to keep something from being harmed
어떤 것을 손상되는 것으로부터 보호하다

3 ＿＿＿＿＿ afraid or nervous 두렵거나 긴장된

4 ＿＿＿＿＿ a power that controls people's lives 사람들의 삶을 조종하는 힘

5 ＿＿＿＿＿ all of space and everything in it including stars, planets, galaxies
우주 공간과 항성, 행성, 은하를 포함하는 우주 공간 안의 모든 것

THIS IS
READING

Starter
Workbook

A 다음 주어진 영어는 우리말로, 우리말은 영어로 쓰시오.

1	sprint	_____	11	정보
2	phrase	_____	12	언어
3	regular	_____	13	한꺼번에
4	enhance	_____	14	손상시키다
5	gymnastic	_____	15	신장, 콩팥
6	average	_____	16	자세
7	object	_____	17	아마도
8	ancient	_____	18	발생하다
9	phenomenon	_____	19	형성하다
10	automobile	_____	20	~을 지켜보다

B 다음 주어진 해석을 참고하여, 빈칸을 알맞게 채우시오.

1 "Oh, English is too difficult. I studied five hours a day for seven days this time, but I didn't get a good _____ on the test." One important thing to remember when you _____ a language is this; it is a marathon, not a sprint. If you are studying English, it is much better to learn a little bit every day than to _____ a lot of information all at once. For example, it is much better to study every day for an hour than to study once a week for 7 hours straight. The key to learning and remembering a language is regular and _____ use. It is also good to have time to _____. A few minutes of review can help you keep new words and phrases in your mind for long-term memory.

"아, 영어는 너무 어려워. 이번에는 7일 동안 하루에 5시간씩 공부했지만, 시험에서 좋은 성적을 받지 못했어." 언어를 배울 때 기억해야 할 중요한 한 가지는 이것이다. 그것은 마라톤이지 단거리 경주가 아니라는 것이다. 영어를 공부하고 있다면 한꺼번에 많은 정보를 암기하는 것보다 매일 조금씩 익히는 것이 훨씬 더 좋다. 예를 들어, 1주일에 한 번 7시간 동안 연속으로 공부하는 것보다 매일 한 시간 동안 공부하는 것이 훨씬 낫다. 언어를 익히고 기억하는 비결은 규칙적으로 계속해서 사용하는 것이다. 복습할 시간을 갖는 것도 또한 좋다. 몇 분간의 복습이 당신이 새 단어와 구문을 장기적으로 기억하는 데 도움이 될 수 있다.

2 Have you ever heard of "a hot walker"? What does a hot walker do? Is it someone who walks on hot coals? No, it has nothing to do with something hot. A hot walker is the name given to the person who walks a racehorse around in a circle to _____ it down after a race or workout. This is very important for a horse before going back to its stall since _____ can damage its kidney. Here's another interesting job: a contortionist. A contortionist can _____ his or her body into unusual positions. A contortionist is often seen in the acrobatics or circus acts, and from time to time, a contortionist _____ himself or herself into a suitcase which the average person cannot get into. Generally, it is believed that contortionists are born with an amazing _____, and they enhance it through gymnastic training and exercises. Isn't it wonderful that they can bend their body like a mollusk?

'핫워커'라는 말을 들어본 적이 있는가? '핫워커'는 어떤 일을 할까? 뜨겁게 달궈진 석탄 위를 걷는 사람을 말하는 것일까? 아니다. 그것은 뜨거운 것과는 아무런 관련이 없다. '핫워커'는 경기나 운동이 끝난 말의 체온을 식히려고 원을 그리며 걷게 하는 사람을 칭하는 말이다. 과열은 말의 신장에 손상을 입힐 수 있기 때문에 이것은 말을 마구간으로 들여보내기 전에 해야 하는 아주 중요한 일이다. 여기 또 다른 재미있는 직업이 있다. 바로 곡예사이다. 곡예사는 특이한 자세로 자신의 몸을 뒤틀 수 있다. 그들은 종종 곡예나 서커스 공연에서 볼 수 있고 곡예사는 때때로 다른 보통 사람들은 들어갈 수 없는 여행가방 안에 자신의 몸을 밀어 넣기도 한다. 일반적으로 곡예사 들은 놀라운 유연성을 가지고 태어난다고 알려져 있고 그들은 이것을 신체 훈련이나 운동을 통해 향상시킨다. 그들이 연체동물처럼 몸을 구 부리는 것이 멋지지 않은가?

3 You probably have heard the expression of "raining cats and dogs," which means raining very _____. Then what about "raining fish"? It's neither an idiom nor folklore. Believe it or not, it sometimes really happens. It is an unusual meteorological phenomenon called a waterspout. A waterspout is a _____ over water, and it forms when cold air moves over warm water. The violent wind caused by a water tornado can _____ objects and move them several miles away. When the waterspout stops spinning, the clouds open up and drop their _____. Depending on how strong the waterspout is, it can pick up small objects like fish or frogs and even larger ones like automobiles. Raining frogs was first _____ in ancient Greece. Lots of frogs fell from the sky in Macedonia, and the roads and roofs were covered with frogs. Raining animals can happen anywhere in the world. Therefore, keep an eye on what will be falling from the sky next time.

당신은 아마 비가 굉장히 많이 쏟아지는 것을 의미하는 'raining cats and dogs'라는 표현을 들어봤을 것이다. 그러면 'raining fish'는 어떤 의미일까? 이것은 숙어도 전설도 아니다. 믿거나 말거나, 그것은 실제로 가끔 일어난다. 이것은 용오름이라고 불리는 흔하지 않은 기상 현상이다. 용오름은 해상에서 발생하는 토네이도인데 차가운 공기가 따뜻한 물 위를 지날 때 만들어진다. 해상의 토네이도에 의해 생긴 맹렬한 바람이 물체를 집어 올려서 수 마일까지 옮길 수 있다. 이 용오름이 멈추면 구름이 흩어지고 내용물을 떨어뜨린다. 용오름이 얼마나 강하냐에 따라서 물고기나 개구리처럼 작은 물체부터 자동차처럼 큰 물체까지도 들어 올릴 수 있다. 개구리가 비처럼 내리는 것은 고대 그리스에서 처음 목격되었다. 수많은 개구리가 마케도니아의 하늘에서 떨어졌고 길과 지붕이 개구리로 뒤덮였다. 동물이 비처럼 내리는 것은 전 세계 어느 곳에서든 일어날 수 있다. 그러므로, 다음에 하늘에서 무엇이 떨어져 내릴지 잘 지켜보도록 해라.

A 다음 주어진 영어는 우리말로, 우리말은 영어로 쓰시오.

1 vitality   _____
2 cancer   _____
3 popular   _____
4 repellent   _____
5 precaution   _____
6 plenty of   _____
7 lack   _____
8 terrible   _____
9 whole   _____
10 allow   _____

11 개선하다   _____
12 낮추다   _____
13 우울한   _____
14 가능성이 있는   _____
15 퍼뜨리다   _____
16 약   _____
17 외로운   _____
18 상태   _____
19 완전히   _____
20 (땅에) 묻다   _____

B 다음 주어진 해석을 참고하여, 빈칸을 알맞게 채우시오.

1
Vitamin A, or beta-carotene foods, are often the color red. These kinds of foods are very good for you. They can give you _____ , energy, and vitality. They can also help cheering you up, improve your memory, and lower the _____ of cancer. If you feel down, eat more red-colored foods, then you can feel better. They also _____ lycopene, which is a strong anti-oxidant. It helps our body fight against _____ that can lead to cancer. So what are these _____ red-colored foods? Tomatoes, red chilies, cherries, apples, strawberries, and watermelons are some of the most popular, and some of the best! So be sure to take some home with you the next time you go to the supermarket!

비타민 A, 혹은 베타카로틴 음식은 종종 빨간색이다. 이런 종류의 음식은 건강에 매우 좋다. 그것들은 당신에게 힘, 에너지, 그리고 활력을 줄 수 있다. 그것들은 또한 당신의 기분을 북돋아주고, 기억력을 향상시키며 암의 위험성을 낮출 수 있다. 당신이 우울하다면 더 많은 붉은 색깔의 음식을 먹어라, 그러면 기분이 좋아질 것이다. 그것들은 또한 강한 황산화제인 리코펜을 포함하고 있다. 리코펜은 우리의 몸이 암을 일으킬 수도 있는 독소와 대항해 싸우는 데 도움을 준다. 그러면 이 건강에 좋은 붉은 색깔의 음식으로는 뭐가 있을까? 토마토, 고추, 체리, 사과, 딸기, 그리고 수박이 가장 인기있고 좋은 음식들이다! 그러니까 다음에 슈퍼마켓에 갈 때는 반드시 집으로 몇 개 사 가도록 해라!

2 Malaria is one of the most common _____ that you are likely to get when you travel to tropical and subtropical regions. Certain parts of the world including areas in South America, Asia, and Africa have problems with malaria. So if you plan to travel to one of them, it is important to take precautions to _____ getting it. First of all, make sure you bring plenty of strong mosquito repellents because malaria is _____ around by mosquitoes. Secondly, be sure to talk to your doctor before you go to any of those areas. Your doctor will let you know if the area you are going to has a malaria _____. If it does, he or she will _____ some medicine that will help keep you from getting malaria.

말라리아는 당신이 열대지방이나 아열대지방을 여행할 때 걸리기 쉬운 가장 흔한 병 중 하나이다. 남아메리카, 아시아, 아프리카를 포함하는 특정 지역은 말라리아 문제를 겪고 있다. 그래서 그런 지역을 여행할 계획이라면 그것을 예방하도록 미리 조치를 취하는 것이 중요하다. 무엇보다도, 말라리아는 모기를 통해 전염되기 때문에 강력한 방충제를 많이 준비해야 한다는 것을 명심하라. 둘째, 이런 지역 중 어느 곳이라도 가기 전에 의사와 상의해라. 의사는 당신이 가려고 하는 지역이 말라리아가 발병한 지역인지 아닌지를 알려줄 것이다. 만약 그곳이 말라리아가 발생하는 지역이라면 의사는 당신이 말라리아에 걸리지 않도록 하는 약을 처방해 줄 것이다.

3 Vincent van Gogh, a famous artist, was lonely during his whole life; he was highly _____ and lacked self-confidence. But he was lucky to have a _____ brother, Theo van Gogh, who was 4 years younger than him. Theo van Gogh was a successful art dealer. Theo's unfailing _____ support allowed his brother to _____ himself entirely to painting. Theo was Vincent's closest friend, and Vincent wrote hundreds of letters to Theo. Theo was often worried about Vincent's _____ condition, and he was one of the few people who understood his brother. Though Vincent van Gogh believed that his life was a terrible _____, Theo was always there for him. Theo died six months after Vincent's death and was buried next to him in Auvers, France.

유명한 화가인 빈센트 반 고흐는 평생 외로웠다. 그는 극도로 감정적이었으며 자신감이 부족했다. 하지만, 그에게는 다행히도 그를 지지해주는 4살 어린 동생 테오 반 고흐가 있었다. 테오 반 고흐는 성공한 예술품 판매상이었다. 테오의 충실한 재정적인 뒷받침으로 그의 형이 그림 그리는 것에 전적으로 매진할 수 있었다. 그는 빈센트의 가장 가까운 친구였으며, 빈센트는 수백 통의 편지를 테오에게 썼다. 테오는 주로 빈센트의 정신적인 상태를 걱정했으며 자신의 형을 이해했던 몇몇 안 되는 사람 중의 하나였다. 빈센트 반 고흐는 자신의 삶이 완전히 실패였다고 믿었지만, 테오는 항상 그를 위해 있었다. 테오는 빈센트가 죽은 지 6개월 후에 세상을 떠났고, 프랑스의 오브르에서 그의 형 곁에 묻혔다.

A 다음 주어진 영어는 우리말로, 우리말은 영어로 쓰시오.

1	exactly	_____	11	형태 _____
2	carriage	_____	12	단순히 _____
3	automobile	_____	13	그런데 _____
4	appearance	_____	14	(생물) 종 _____
5	rotten	_____	15	지속하다 _____
6	stem	_____	16	무게가 ~이다 _____
7	emit	_____	17	꽃피다 _____
8	value	_____	18	해로운 _____
9	at least	_____	19	망치다 _____
10	between	_____	20	(식사를) 준비하다 _____

B 다음 주어진 해석을 참고하여, 빈칸을 알맞게 채우시오.

1 Do you know the _____ of the word 'car'? Where does the word 'car' come from? We all know what a car is. We also know that it is another name for an 'automobile.' But how exactly did cars come to be called cars? Well, the word 'car' is a _____ form of the word 'carriage.' You know, before the automobile was invented, people got around in carriages that were _____ by horses. The word 'carriage,' by the way, comes from the word 'carry.' When automobiles were first _____, many people called them 'horseless carriages.' And as time went by, they were shortened simply to 'cars.'

'car'란 단어의 어원을 아는가? 'car'란 단어는 어디에서 비롯된 것일까? 우리 모두는 car(자동차)가 무엇인지 안다. 우리는 그것이 'automobile'의 또 다른 이름이라는 것도 알고 있다. 그러나 car가 정확히 어떻게 car로 불리게 되었을까? 'car'라는 단어는 'carriage'란 단어의 축약된 형태이다. automobile(자동차)이 발명되기 전에 사람들은 말로 동력을 공급받는 carriage(마차)로 돌아다녔다. 그건 그렇고 'carriage'라는 단어는 'carry(운반하다)'라는 단어에서 비롯되었다. 자동차가 처음 발명되었을 때 많은 사람들은 그것을 'horseless carriages(말 없는 마차)'라고 불렀다. 그리고 시간이 지나면서 그것은 간단히 'cars'로 짧아졌다.

2

The biggest type of flower in the world is called the rafflesia. It grows in _____ rain forest areas in Southeast Asia, mainly in Indonesia and Malaysia. Actually, it's not just one species of plant, but rather a set of 26 species. The species are all related in size, shape, and overall appearance. One interesting thing about the rafflesia is that it has no _____, stems, or even leaves. It is a parasite, meaning that it _____ itself to a jungle vine and lives off of it. Speaking of its size, the biggest types can be over one meter in _____ and weigh over 10 kilograms. It blooms once a year and lasts only five to seven days. So you have to be lucky to see it in bloom. It emits an awful smell like rotten meat to _____ flies that pollinate it. It is certainly not a good flower to give your mother or your girlfriend!

세계에서 가장 큰 꽃의 종류는 라플레시아라고 불린다. 이것은 주로 인도네시아와 말레이시아의 동남아시아 열대 우림 지역에서 자란다. 사실 이것은 단지 한 종류의 식물이라기보다 26종으로 이루어진 하나의 집합이다. 모든 종이 크기, 모양, 전체적인 외양면에서 연관이 있다. 라플레시아에 관한 재미있는 점 한 가지는 뿌리, 줄기, 심지어 잎도 없다는 것이다. 이것은 기생 식물인데, 이는 정글의 덩굴 식물에 붙어서 기생한다는 것을 의미한다. 크기로 말하자면 가장 큰 유형은 지름이 1미터가 넘고 무게가 10킬로그램이 넘는다. 이것은 일 년에 한 번 개화하고 5일에서 7일 동안만 핀다. 그래서 꽃이 핀 것을 보기 위해서는 운이 좋아야 한다. 이 식물은 자신을 수분시키는 파리들을 유혹하기 위해 마치 썩은 고기와 같은 지독한 냄새를 뿜어낸다. 그러니 당연히 어머니나 여자친구에게 줄 적합한 꽃은 아니다.

3

It's 3 p.m. You had lunch just a few hours ago, but you are already _____ again. And you have at least three more hours until dinner. What will you do? You will eat something, of course! Now, there are many things that you could have as a _____ between meals, so you go to the kitchen. What do you choose to eat? Perhaps you may pick up some cookies or potato chips. How about some ice cream or a candy bar? But remember! All of these snacks are harmful because they have too much sugar and no _____ value. We usually eat snacks that are quick to fix and eat. Because we are often busy during the day, we choose _____ snacks that have a lot of fat. Also these types of snacks can spoil our _____. If we eat too many sweet snacks, then perhaps we will eat nothing healthy for our next meal. So eating unhealthy snacks can be harmful to our regular _____.

오후 3시다. 당신은 불과 몇 시간 전에 점심을 먹었지만, 벌써 또 배가 고프다. 그리고 저녁까지는 적어도 3시간이나 더 남았다. 어떻게 하겠는가? 물론 뭔가를 먹을 것이다! 이제, 식사 시간 사이에 간식으로 먹을 수 있는 게 많으니까 주방으로 간다. 당신은 무엇을 골라서 먹는가? 아마도 쿠키나 감자칩을 집을지도 모른다. 아이스크림이나 초코바는 어떤가? 그렇지만, 명심해라! 이런 간식들은 모두 설탕이 너무 많이 들어 있고 영양적인 가치는 전혀 없기 때문에 해롭다. 우리는 대개 빨리 준비해서 먹을 수 있는 간식을 먹는다. 우리는 온종일 자주 바빠서 지방이 많이 포함된 건강에 좋지 않은 간식을 선택한다. 또한, 이런 유형의 간식은 우리 식욕을 망칠 수도 있다. 우리가 단 간식을 너무 많이 먹으면, 아마도 다음 식사 때 건강에 좋은 것은 아무것도 먹지 않을 것이다. 그러니까 건강에 좋지 않은 간식을 먹는 것은 규칙적인 식단에 해를 끼칠 수 있다.

A 다음 주어진 영어는 우리말로, 우리말은 영어로 쓰시오.

1	method _____	11	(채고, 과일의) 껍질 _____
2	rub _____	12	비슷한 _____
3	piece _____	13	민간요법 _____
4	public _____	14	전기의 _____
5	valuable _____	15	계속하다 _____
6	cause _____	16	존재하다 _____
7	popularity _____	17	역사적인 _____
8	include _____	18	(유럽) 대륙의 _____
9	offer _____	19	일반적으로 _____
10	slice _____	20	~로 구성되다 _____

B 다음 주어진 해석을 참고하여, 빈칸을 알맞게 채우시오.

1 "Hey, your skin looks like an orange!" "What are you talking about? My skin looks like an orange?" Are you having problems with _____? Well, here are a few good home _____ that you can use easily at home. One way is simply to use an orange peel. Just get it very, very wet, in fact _____ it in water, then rub it on your skin where you have the bad acne. Another similar _____ uses a cucumber. You can use the leaves from a cucumber, or you can cut pieces off of a cucumber and place them on your skin. Many people use cucumbers to keep them from getting _____ in their skin. But they are also very helpful for acne. Good luck with your skin!

"어, 네 피부가 오렌지처럼 보여!" "무슨 소리야? 내 피부가 오렌지처럼 보인다고?" 당신은 여드름으로 고생하고 있는가? 자, 여기 집에서 쉽게 이용할 수 있는 몇 가지 효과적인 민간요법이 있다. 한 가지 방법은 간단하게 오렌지 껍질을 이용하는 것이다. 그냥 오렌지 껍질을 푹, 아주 푹 적셔라. 사실, 물에 흠뻑 적셔라. 다음에는 그것을 심한 여드름이 난 피부에 문질러라. 또 다른 비슷한 방법은 오이를 사용한다. 오이 잎을 사용 할 수 있고, 혹은 오이를 조각내어 피부에 올려놓을 수도 있다. 많은 사람들은 피부 주름을 막으려고 오이를 사용한다. 하지만, 그것들은 여드름에도 매우 도움이 된다. 당신의 피부에 행운이 있기를!

Answers p.22

2 One of the oldest and most famous forms of _____ in the United Sates is the cable car. Cable cars used to be very common and popular, but now they only exist and _____ in one city: San Francisco. In fact, they are not public transportation, but the only official National Historic Landmarks that move! The first cable cars were built in 1873, and regular _____ service started soon after that. They continued to grow in popularity for many years until 1892 when the first electric streetcars were invented. This caused the cable cars to lose their popularity, as they were much more _____ to run than electric streetcars. As time went by, however, many people thought that the cable cars were a valuable part of the city's history. Finally, the cable car system was well _____. Today, there are three lines that run up and down the hills of San Francisco every day.

미국에서 가장 오래되고 유명한 교통수단 중 하나는 바로 케이블카이다. 케이블카는 흔하고 인기 있는 교통수단이었지만, 지금은 샌프란시스코라는 한 도시에서만 운영되고 있다. 사실 케이블카는 대중교통수단이 아니라 움직이는 유일한 미국역사기념물이다. 최초의 케이블카는 1873년에 만들어졌고 일반 승객 서비스는 그 후에 곧 시작되었다. 케이블카는 최초의 전차가 발명된 1892년까지 계속 인기를 누렸다. 케이블카의 운영비가 전차보다 훨씬 비싸다는 이유로 케이블카의 인기는 떨어졌다. 하지만 시간이 지남에 따라 많은 사람은 케이블카가 샌프란시스코의 역사의 소중한 부분이라고 생각하게 되었고 결국 케이블카 시스템은 잘 보존되었다. 현재 샌프란시스코의 언덕을 매일 세 개의 노선이 오르내리고 있다.

3 Depending on the hotel you stay at, you can have the chance to enjoy an American _____ or continental breakfast. An American breakfast generally includes eggs, sliced bacon or sausages, and sliced bread or toast with jam, jelly, or butter. It is usually _____ with coffee, milk or fresh fruit juice. A continental breakfast consists of croissants, rolls, or bread with butter, jam, or marmalade, and coffee or tea. It is served commonly in continental Europe, where people do not consider breakfast to be the most important _____ of the day. An American breakfast is commonly a lot bigger than a continental breakfast. The continental breakfast is different from the _____ English breakfast that is commonly served in the U.K. Since many American hotels offer this service, the continental breakfast concept isn't _____ to Europe.

당신이 묵는 호텔에 따라 미국식 아침식사나 유럽식 아침식사를 즐길 수 있는 기회를 얻을 수 있다. 일반적으로 미국식 아침식사는 달걀, 얇게 썬 베이컨이나 소시지, 잼이나 젤리, 혹은 버터를 바른 빵이나 토스트가 포함된다. 그것은 보통 커피나 우유, 신선한 과일 주스와 함께 제공된다. 유럽식 아침식사는 보통 버터나 잼, 혹은 마멀레이드를 곁들인 크로아상, 롤 또는 빵과 커피나 차로 구성되어 있다. 이것은 일반적으로 유럽 대륙에서 제공되며 유럽 대륙 사람들은 아침식사를 하루 중 가장 중요한 식사라고 여기지 않는다. 미국식 아침식사가 보통 유럽식 아침식사보다 훨씬 푸짐하다. 유럽식 아침식사는 주로 영국에서 제공하는 푸짐한 영국식 아침식사와는 다르다. 많은 미국의 호텔이 이러한 서비스를 제공하기에 유럽식 아침식사 개념은 유럽에 한정된 것은 아니다.

A 다음 주어진 영어는 우리말로, 우리말은 영어로 쓰시오.

1 entire _____
2 safe _____
3 otherwise _____
4 danger _____
5 get rid of _____
6 disgusting _____
7 attitude _____
8 perform _____
9 unsatisfactory _____
10 achievement _____

11 낯선 _____
12 조심하는 _____
13 몇 개의 _____
14 바퀴벌레 _____
15 핵의, 원자력의 _____
16 물려받다 _____
17 궁극적으로 _____
18 기대 _____
19 피하다 _____
20 경험 _____

B 다음 주어진 해석을 참고하여, 빈칸을 알맞게 채우시오.

1 Minsu opens his e-mail. There are several letters in it, including one that says it is 'From your best friend.' He _____ it's from someone that he doesn't know. He just opens this file and it causes his computer to _____. Oh, my god! Yes! The important thing to remember is this. You should be really careful when you open _____ mail. Sometimes people send e-mails that have viruses. These viruses can _____ information from our computer if we open the e-mails. You know what? These viruses can also _____ the entire computer. So if you are unfamiliar with the sender of an e-mail, it's safer to just _____ the e-mail. Only open e-mails from people that you know. Otherwise, you may have to take your computer to a shop and pay a lot of money to get it _____. You don't want that, do you?

민수가 자신의 이메일을 연다. '너의 가장 친한 친구로부터'라고 쓰인 것을 포함해 몇 통의 편지가 있다. 그는 그것이 자신이 모르는 사람에게서 온 것이라는 것을 발견한다. 그냥 이 파일을 열어보는데 그것이 컴퓨터를 고장 낸다. 아니, 이런! 그렇다! 명심해야 할 중요한 것이 이것이다. 스팸메일을 열 때는 정말로 조심해야 한다. 가끔 사람들은 바이러스가 있는 이메일을 보낸다. 그 이메일을 열면 이 바이러스가 컴퓨터에서 정보를 훔칠 수도 있다. 그거 아는가? 이런 바이러스는 컴퓨터 전체를 망가뜨릴 수도 있다. 그러므로 이메일 보낸 사람을 모른다면 그냥 그 이메일을 삭제하는 게 더 안전하다. 아는 사람에게서 온 이메일만 열어라. 그렇지 않으면, 여러분은 컴퓨터를 들고 수리점에 가서 수리하는 데 큰 비용을 지불해야 할지도 모른다. 당신은 그것을 원하지 않는다, 그렇지 않은가?

2 Something with a brown shell and two long waving hairs comes out at night. You try to catch it and kill it while running around and _____. Well, it flies away, but you can still hear it flapping its wings. What a terrible nightmare it is! Cockroaches have always been the worst and the most disgusting _____ for human beings. However, there are some pretty interesting facts about them. They have _____ on the earth for 300 million years, and it means they survived even the Ice Age. The _____ they have act as a sensor to help them find a safe place when they are in danger. They can eat almost everything, and they can be alive for a week without their heads. Their most amazing _____ is this: they have resistance of nuclear radiation about 10 times higher than humans. It is not a joke if someone says that cockroaches will inherit the earth after a nuclear war destroys humanity.

갈색 등껍질과 기다란 두 가닥의 구불거리는 털을 가지고 있는 것이 밤에 튀어나온다. 당신은 뛰어다니고 소리를 지르며 그것을 잡아 죽이려고 애를 쓴다. 아, 그것이 날아가 버리는데, 아직도 날개를 퍼덕거리는 소리가 들린다. 얼마나 끔찍한 악몽인가! 바퀴벌레는 늘 인간에게 있어서 가장 최악이고 역겨운 곤충이었다. 하지만, 바퀴벌레에 대한 몇 가지 꽤 흥미로운 사실이 있다. 바퀴벌레는 지구에서 3억 년 동안 생존했는데, 그 말은, 그들이 빙하기에도 살아남았다는 것이다. 바퀴벌레에 달린 더듬이는 그들이 위험에 처해있을 때 안전한 곳을 알려주는 감지기 작용을 한다. 바퀴벌레는 거의 모든 것을 다 먹을 수 있고, 머리가 떨어져도 일주일은 버틸 수 있다. 그들의 가장 놀라운 능력은 이것이다. 바퀴벌레는 인간보다 10배 더 큰 핵방사선에 대한 저항력이 있다는 것이다. 누군가가 핵전쟁으로 인류가 멸망하면 지구는 바퀴벌레가 접수할 것이다라고 해도 농담은 아닌 것이다.

3 Have you heard of this expression, "life's ups and downs?" You may notice that ups in life means something good and _____, and downs in life, in contrast, means something bad or unsatisfactory. One of the worst mistakes you can make in life is to put yourself _____. Thomas Edison, one of the greatest inventors in history, once said "I have not failed. I have just found 10,000 ways that won't work," after he failed 10,000 times in his _____ of a light bulb. Because things didn't turn out as he expected, he could learn how to avoid the same _____. His way of thinking ultimately leads to success, while a _____ attitude can only lead to failure. If things go wrong, or if your expectation and achievement don't meet, it is important not to _____ yourself. Instead, think about what you have learned from the experience and how you can perform better next time.

당신은 '인생의 우여곡절'이라는 표현을 들어본 적이 있는가? 인생의 위쪽은 인생에서 좋고 긍정적인 것을 뜻하고, 반대로 인생의 아래쪽은 나쁘고 만족스럽지 못한 것을 의미한다는 것을 알 수 있을 것이다. 인생에서 저지르기 쉬운 최악의 실수는 바로 자기 자신을 실망시키는 일이다. 역사상 가장 위대한 발명가 중 한 명인 토머스 에디슨은 전구를 발명하는 실험에서 10,000번을 실패하고 나서 이렇게 말했다. "저는 실패하지 않았습니다. 저는 작동하지 않는 10,000가지의 방법을 찾았을 뿐입니다." 그가 예상한 대로 결과가 나오지 않았기에 같은 실수를 피하는 방법을 배울 수 있었다. 그의 사고방식은 결국 성공에 이르게 했지만, 부정적인 태도는 실패에 이르게 한다. 어떤 일이 잘 안 풀리거나 당신이 성취한 것이 기대했던 것과 맞지 않을 때 낙담하지 않는 것이 중요하다. 대신 이 경험을 통해 자신이 무엇을 배웠고 다음에는 어떻게 더 잘할 수 있는 생각해봐라.

A 다음 주어진 영어는 우리말로, 우리말은 영어로 쓰시오.

1	shooting	11	잡다
2	comfort	12	탈출
3	completely	13	극도로
4	awake	14	식욕
5	unlock	15	전통
6	carve	16	보상[보답]하다
7	pay back	17	인터뷰, 면접
8	applicant	18	(좌석이) 빈
9	offer	19	어려움
10	perfect	20	탑승

B 다음 주어진 해석을 참고하여, 빈칸을 알맞게 채우시오.

1 Every day there was great _____. At about two o'clock, the sirens began, and we heard heavy shooting. The whole house shook as the _____ came down. I grabbed my "escape bag," more for comfort than anything else. Everyone stood in the passageway and waited for it to be over. We went out to help the badly _____ soldiers. In about half an hour, things became quiet. I went upstairs, and I saw towers of smoke coming up from over the harbor. We could smell everything _____, too. Later during dinner, there was another air raid siren, and I completely lost my appetite. We heard the roar of the engines, and then the sound of the bombs dropping. I was extremely _____. When I went to bed, my legs wouldn't stop shaking. At midnight, I awoke, and I jumped out of bed and ran into Daddy's room. The bombs kept coming. I eventually fell asleep.

매일 큰 혼란스러운 상황이 벌어졌다. 2시경에, 사이렌 소리가 울리기 시작했고, 우리는 엄청난 총성을 들었다. 폭탄이 떨어지면서 집 전체가 흔들렸다. 나는 다른 무엇보다도 안정을 찾기 위해 나의 '탈출 가방'을 움켜쥐었다. 모든 사람은 복도에 서서 그것이 끝나기를 기다렸다. 우리는 심각하게 다친 병사들을 도우러 밖으로 나갔다. 30분쯤 후에, 모든 것이 조용해지기 시작했다. 나는 위층으로 올라가서 연기 기둥이 항구 위로 올라오는 것을 보았다. 우리는 모든 것이 타 들어가는 냄새도 맡을 수 있었다. 나중에 저녁 식사시간에 또 한 번의 공습경보 사이렌이 울렸고 나는 완전히 식욕을 잃었다. 우리는 포효하는 듯한 엔진 소리를 들었고, 그리고 나서 폭탄들이 투하되는 소리를 들었다. 나는 극도의 공포심에 휩싸였다. 잠자리에 들었을 때 흔들리는 내 다리는 멈추지 않았다. 자정 무렵에, 잠에서 깨어 나는 침대 밖으로 뛰쳐나와서 아빠 방으로 달려갔다. 폭탄이 계속 투하되었고, 나는 결국 잠이 들었다.

2 On February 14th, people give their loved ones heart-shaped chocolates, red roses, gifts, and cards. Although no one knows exactly how Valentine's Day began, people have _____ it for ages. Due to its long history, various traditions have existed throughout the world. During the Middle Ages in Europe, young men and women would pick up names from a bowl. The name they _____ would be the person who was their valentine. Then, they would wear that name on their shirtsleeves for one week. In Wales, an old Valentine's Day tradition was for men to carve spoons out of wood and give them to the special lady of their _____. They would often draw hearts, keys, and keyholes on them, which meant, "You unlock my heart!" India, where the celebration began in the 1990s, has an interesting tradition. Couples put henna _____ on their bodies to _____ their love. In England, children sing songs and are rewarded with candy, fruit, and sometimes money. From country to country, the Valentine's tradition is a little different. However, it must be a wonderful day full of happiness and love.

2월 14일이면 사람들은 사랑하는 사람에게 하트모양의 초콜릿, 빨간 장미, 선물, 그리고 카드를 준다. 비록 발렌타인데이가 정확히 어떻게 시작되었는지 아는 사람은 없지만, 발렌타인데이는 오랫동안 축하해 온 날이다. 그것의 오랜 역사 때문에 다양한 전통이 전 세계에 존재해 왔다. 유럽의 중세시대에는 젊은 남자와 여자들이 오목한 접시에서 이름을 꺼내곤 했다. 그들이 꺼낸 이름이 그들의 발렌타인이 되었다. 그리고 나서, 그들은 그 이름을 일주일 동안 셔츠 소매에 달고 다니곤 했다. 웨일스에서는 오랜 발렌타인 전통으로, 남자들이 나무로 숟가락을 조각해서 자신이 선택한 특별한 여성에게 그것을 주었다. 주로 하트나 열쇠, 열쇠고리 등을 새겨 넣었는데, 그 의미는 "당신이 나의 마음을 열어줍니다!"이었다. 인도에서는 1990년부터 발렌타인데이를 축하해 왔는데, 흥미로운 전통을 가지고 있다. 커플은 자신의 몸에 본인들의 사랑을 표현하기 위해 헤나 문신을 한다. 잉글랜드에서는 어린이들이 노래를 부르고 대가로 사탕이나 과일, 때로는 돈을 받는다. 나라마다, 발렌타인의 전통은 약간씩 다르다. 하지만 이 날은 행복과 사랑이 가득한 멋진 날임이 틀림없다.

3 I was in a job interview two years ago. I was sitting with other applicants and the interviewer threw out a simple but _____ question. The question was like this: One stormy night, you are driving in your car. As you pass a bus stop, you happen to see three people waiting for the bus: an old lady who looks like she will _____ sooner or later; your old friend who once _____ you from drowning; the perfect man or woman you have always _____ of. The vacant seat is only one. Who do you offer a ride to? This put me in a dilemma; I didn't know whom I would give a ride to. I could choose the old lady since nothing's more valuable than life. Or I could pick up my friend, so I could pay him back. But, what if the woman is my future wife? While I was beating my brains out, the person next to me had no difficulty _____ with his answer. He answered: "I would rather hand the car keys to my friend, let him take the old lady to the hospital, and I would _____ behind to wait for the bus with the woman."

2년 전에 나는 입사 면접을 보고 있었다. 나는 다른 지원자들과 함께 앉아 있었고 면접관은 간단하지만 혼란스러운 질문 하나를 던졌다. 그 질문은 다음과 같다. 비바람이 부는 날 밤, 당신은 운전을 하고 있습니다. 버스정류장을 지나가는데 우연히 버스를 기다리는 세 사람을 보게 됩니다. 곧 죽을 것 같은 할머니, 당신이 물에 빠져 죽을뻔했을 때 당신을 구해줬던 오랜 친구, 당신이 꿈꿔온 이상형. 남은 좌석은 단 하나뿐입니다. 당신은 누구를 태우겠습니까? 이 질문이 나를 심각한 딜레마에 빠지게 했다. 나는 누구를 태워줘야 하는지 알 수 없었다. 생명보다 가치 있는 것은 없기 때문에 노부인을 선택할 수 있다. 또는 빚을 갚기 위해 오랜 친구를 선택할수도 있다. 하지만, 만약 그 여자가 내 미래의 부인이라면? 열심히 머리를 쥐어짜고 있는데 내 옆에 앉아 있던 사람은 아무런 어려움 없이 대답을 생각해냈다. 그는 이렇게 대답했다. "저는 차 열쇠를 제 친구에게 주고 노부인을 병원에 모시고 가라고 하겠습니다. 그리고 전 그 여자와 함께 버스정류장에 남아서 버스를 기다리겠습니다."

A 다음 주어진 영어는 우리말로, 우리말은 영어로 쓰시오.

1 situation _____
2 willing _____
3 ask for _____
4 ready _____
5 available _____
6 assemble _____
7 indication _____
8 safely _____
9 additional _____
10 research _____

11 해결책 _____
12 망설이다 _____
13 이루다 _____
14 전문가 _____
15 가라앉은 _____
16 움직이지 않는 _____
17 명령하다 _____
18 요금 _____
19 건네주다 _____
20 대출(금) _____

B 다음 주어진 해석을 참고하여, 빈칸을 알맞게 채우시오.

1 Have you ever had a difficult assignment or project that seemed impossible to get done _____? If you're in this situation, you may not be able to think of any solution at all. Then what can you do? One good idea is to get help from friends. Don't hesitate to ask for help. No matter how hard the project is, if people _____, everything can be accomplished. We can find some people who are willing to help others _____ but are not ready to get help from others. Experts say that it's important not only to give a _____ to others but also to ask for help and receive it. If you really want to get something done by yourself, sometimes just hearing another person's ideas or _____ can open your own eyes to a whole new answer. Remember, "You're not alone!"

당신은 시간에 맞춰 끝내기 어려워 보이는 과제나 프로젝트를 맡은 적이 있는가? 당신이 만약 이런 상황이라면 어떤 해결책도 전혀 생각해 낼 수 없을지도 모른다. 그러면 어떻게 할 수 있을까? 한 가지 좋은 생각은 친구한테서 도움을 받는 것이다. 도움을 청하는 것을 주저하지 마라. 아무리 프로젝트가 힘들다고 해도, 사람들이 함께하면 어떤 일도 다 해낼 수 있다. 어려움에 처한 사람들을 기꺼이 도와줄 마음은 있으면서도 남에게서 도움을 받을 준비는 되어 있지 않은 사람들을 찾을 수 있다. 남들에게 도움의 손길을 주는 것만이 아니라 남한테서도 도움을 청하고 받는 것 또한 중요하다고 전문가들은 말한다. 어떤 일을 정말로 당신 혼자서 끝내고 싶다면 가끔은 다른 사람들의 생각이나 제안을 듣기만 해도 당신이 완전히 새로운 답에 눈을 뜰 수 있다. 기억해라, "당신은 혼자가 아니다!"

2 Have you heard of the saying "Women and Children First"? The tradition "Women and Children First" originates from the Birkenhead wreck in 1852. The expression means that the lives of women and children are the first to be _____. The H.M.S. Birkenhead, one of the first iron-hulled ships, was sailing off the coast of southern Africa, carrying 638 men, women, and children. There was absolutely no indication of _____ in the clear sky and calm sea. Suddenly, the giant ship _____ a sunken rock off Danger Point. In an instant the belly of the ship ripped open, and just over a hundred soldiers _____ as they were sleeping. The rest of the troops and passengers rushed to the deck. In complete chaos, Senior Officer Seton drew his sword and commanded his officers to assemble on the deck and stand still since rushing to the _____ all at once could bring a disaster. Then he asked some of them to assist the women and children into the three available lifeboats. Eventually, the ship sank with the loss of 445 lives after the women and children were safely on board lifeboats. Even today, it is believed that it is a man's duty to _____ women and children first in a disaster.

'여자와 아이들 먼저'라는 말을 들어보았는 가? 여자와 아이들 먼저' 전통은 1852년 버 큰헤드 호에서 유래되었다. 그 표현은 여자 와 아이들의 생명을 먼저 구해야 한다는 것 을 의미한다. ' H.M.S. 버큰헤드 호는 선체 가 철로 된 최초의 함선 중 하나로 638명의 남성과 여성 그리고 아이들을 태우고 남아 프리카의 해안을 항해하고 있었다. 맑은 하 늘과 잔잔한 바다에서 어떤 재앙의 징후도 찾아볼 수 없었다. 갑자기 그 거대한 함선은 Danger Point 근처 앞바다의 암초에 부 딪혔다. 배의 아랫부분이 찢어져 잠자고 있 던 100명이 넘는 군인들은 익사했다. 남아 있는 군인들과 승객들은 갑판으로 돌진했 다. 한꺼번에 구명정으로 달려가는 것은 재 앙을 가져올 수 있기 때문에, 혼란 속에서, 세튼 대위는 칼을 꺼내, 병사들에게 갑판에 모여 부동자세로 서 있을 것을 명령했다. 그 런 다음 그는 몇몇 병사에게 여자들과 아이 들이 세 개의 이용 가능한 구명정에 오를 수 있도록 도와주라고 했다. 결국, 그 함선은 여 자들과 아이들이 구명정에 안전하게 타고 난 후에 445명의 생명을 앗아가면서 가라 앉았다. 심지어 오늘날에도 재난에서 여자 와 아이를 먼저 대피시키는 것이 남자의 의 무라고 여겨진다.

3 A New Yorker, just before leaving for Europe on a business trip, takes his Lamborghini to a bank and goes inside to ask for a quick $5,000 _____. The loan officer, very surprised, says that he must have some sort of _____ things for the loan, so the man says, "Here is the key to my Lamborghini." The loan officer has someone drive the car into the bank's parking lot for _____, then hands the man $5,000. After two weeks, the man comes back from his trip and goes straight to the bank to _____ his loan and get his car back. He gives $5,000 to the loan officer and asks for his car back. The loan officer replies, "There is an additional _____ charge of $16.20, sir." The man then gives him the $16.20 and starts to leave with his key. "Sir," the loan officer says, "while you were away, I did some research on you and found out that you are a _____. Why did you borrow $5,000 from us?" The man smiles and says, "Where else could I park my Lamborghini safely in New York for 2 weeks and pay only $16.20?"

한 뉴욕 사람이 사업 차 유럽으로 떠나기 바 로 직전에 자신의 람보르기니를 은행으로 가져간다. 그리고 빠르게 5000달러를 대출 받기 위해 안으로 들어간다. 대출 담당자는 매우 놀라면서 말하기를, 그 돈을 대출 받으 려면 뭔가 값이 나가는 물건을 담보로 대야 한다고 말한다. 그러자 그 남자는, "여기 내 람보르기니 차의 열쇠가 있습니다"라고 말 한다. 대출 담당자는 누군가에게 그 차를 안 전을 위해 은행 주차장으로 몰고 오라고 지 시하고, 그 남자에게 5,000달러를 건넨다. 2 주 후에, 그 남자는 출장에서 돌아오고, 대 출금을 갚고 차를 가지고 가려고 바로 은행 으로 간다. 그는 5,000달러를 대출 담당자 에게 주고 차를 내달라고 말한다. 대출 담당 자가 대답하길, "이자가 16달러 20센트 있습 니다, 고객님." 남자는 그에게 16달러 20센트 를 주고 차 열쇠를 가지고 가려고 한다. "고 객님" 대출 담당자가 말하기를, "출장을 가 계시는 동안 제가 고객님에 대해 조회를 좀 해 봤는데요, 백만장자이시더군요. 저희한 테 5,000달러를 왜 빌리셨나요?" 그 남자는 미소를 지으며 말한다. "2주일 동안 내 람보 르기니를 안전하게 주차해 두고 고작 16달 러 20센트만 내면 되는 곳을 뉴욕 다른 어디 에서 찾을 수 있겠습니까?"

UNIT 08

A 다음 주어진 영어는 우리말로, 우리말은 영어로 쓰시오.

1 dialogue _____

2 gymnasium _____

3 largely _____

4 join _____

5 alone _____

6 energetic _____

7 cricket _____

8 grasshopper _____

9 nutritious _____

10 feed on _____

11 결합하다 _____

12 다양한 _____

13 대신에 _____

14 비사교적인 _____

15 재충전하다 _____

16 긴장한 _____

17 경험 _____

18 짜증나는 _____

19 ~에 들러붙다 _____

20 인구, 개체 수 _____

B 다음 주어진 해석을 참고하여, 빈칸을 알맞게 채우시오.

1 Do you like musicals? Have you ever seen a musical? Many people think that a musical is similar to a _____. Yes, it's true. It is like a play but different. A musical is a _____ that combines music, songs, spoken dialogues, and dance. Among all the musicals, *Cats* is _____ as one of the best musicals in the world. Since it first opened in 1981, it has become one of the best-loved musicals. *Cats* has played in over 30 countries and in about 250 cities, including Buenos Aires, Helsinki, Singapore, and Seoul. There are _____ versions of the show in 20 different _____. Though people usually watch *Cats* in big theaters, it has played not only in theaters, but also in tents in Japan and Korea, an engine shed in Switzerland, and school _____ across the USA. Wouldn't it be fun to enjoy musicals in various places?

당신은 뮤지컬을 좋아하는가? 뮤지컬을 본 적이 있는가? 많은 사람들은 뮤지컬이 연극과 비슷하다고 생각한다. 그렇다. 그것은 사실이다. 뮤지컬은 연극과 비슷한 것 같지만, 다르다. 뮤지컬은 음악, 노래, 대화, 그리고 춤을 결합한 공연이다. 모든 뮤지컬 가운데서, 〈캣츠〉는 세계 최고의 뮤지컬 중의 하나로 여겨진다. 1981년도에 처음으로 초연된 이후로, 〈캣츠〉는 가장 사랑받는 뮤지컬 중의 하나가 되었다. 〈캣츠〉는 부에노스아이레스, 헬싱키, 싱가포르, 서울 등을 포함해서 30개 이상 나라의 약 250개 도시에서 공연되었다. 이 공연은 20개의 다른 언어로 된 다양한 버전이 있다. 대개 사람들은 〈캣츠〉를 대형 극장에서 관람하지만, 극장에서만 공연된 것은 아니고, 일본과 한국에서는 천막 안에서, 스위스에서는 기관차고에서, 미국 전역에서는 학교 체육관에서 공연한 적이 있다. 여러 장소에서 뮤지컬을 감상하면 재미있지 않을까?

126

Answers p.23

2 People can be largely divided into two basic types. One of those groups is called introverts. Introverts are often quiet people. They tend to feel _____ when they are at parties or around a lot of people. They don't like to join "small talk" with people, but instead like to have deep _____ with close friends. They are not antisocial people; they just like to be alone with their _____. They often feel tired when they are around people they don't know well, so they like to be alone to "recharge" their energy. The other group of people are called extroverts. Unlike introverts, they like parties or enjoy being with a lot of people. This type of person is _____ and feels energetic when they are around many people. They prefer staying outside with people to being alone at home. When they meet some people for the first time, they don't feel _____ or uncomfortable.

사람들은 크게 두 가지 기본적인 유형으로 나뉠 수 있다. 그 그룹 중 하나는 내향적인 사람이라고 불리는 사람들이다. 내향적인 사람들은 주로 조용한 사람들이다. 그들은 파티에 가 있거나 많은 사람과 어울려 있으면 불편해하는 경향이 있다. 그들은 사람들과 '잡담'을 하는 것을 좋아하지 않고, 대신 가까운 친구들과 깊은 대화를 나누는 것을 좋아한다. 그들은 비사교적인 사람들이 아니다. 그들은 그저 생각을 하며 혼자 있는 것을 좋아하는 것뿐이다. 그들은 잘 모르는 사람들과 어울릴 때면 종종 피곤함을 느끼기 때문에 자신들의 에너지를 충전하기 위해서 혼자 있는 것을 좋아한다. 다른 유형의 사람들은 외향적인 사람들이라고 불린다. 내향적인 사람들과는 달리, 그들은 파티를 좋아하고 많은 사람과 함께 있는 것을 좋아한다. 이런 유형의 사람들은 사교적이며 많은 사람과 어울릴 때 활력을 느낀다. 그들은 혼자 집에 있는 것보다 사람들과 밖에 있는 것을 더 좋아한다. 그들은 사람을 처음 만난다 해도 긴장하거나 불편함을 느끼지 않는다.

3 You probably have the experience of being _____ by bees or hearing crickets chirp late at night or early in the morning. They are such small creatures and could be the last things some people care about. Other people, on the other hand, keep insects as pets. As there is always good and bad with everything, insects are both helpful and _____ depending on the species. For example, mosquitoes can deliver an irritating bite and carry _____ like malaria. Furthermore, grasshoppers and crickets _____ crops and grass, and plant louses stick to the plants and cause the growth of various harmful fungi and molds. On the other hand, bees, silk worms, and dragonflies are the insects that we can take advantage of. Bees provide us with nutritious honey and wax. In addition, they help in the _____ of plants, which is important for the environment. Silk worms also do a great job for humans, giving us silk for making sewing thread and fine cloth. Dragonflies are beneficial insects to humans as well. They feed on small flying insects such as flies and mosquitoes, keeping the populations of pests down.

당신은 벌에 쏘이거나, 밤늦게 또는 아침 일찍 귀뚜라미가 우는 소리를 들은 경험이 있을 것이다. 그들은 정말 작은 생명체이고 어떤 사람들에게는 가장 관심이 덜 가는 것일 수도 있다. 반면 어떤 사람들은 곤충을 애완용으로 키운다. 모든 것에는 항상 장단점이 있듯이 곤충도 어떤 종이냐에 따라서 이롭기도 해롭기도 하다. 예를 들면, 모기는 따끔거리게 물기도 하고, 말라리아와 같은 병을 옮기기도 한다. 게다가, 메뚜기와 귀뚜라미는 농작물과 잔디를 망치기도 하고, 진딧물은 식물에 붙어서 여러 가지 해로운 균이나 곰팡이가 자라게 한다. 반면에 벌, 누에, 그리고 잠자리는 우리에게 이익을 주는 곤충들이다. 벌은 우리에게 영양가 있는 꿀과 밀랍을 제공해 준다. 게다가 그들은 환경에 중요한 식물의 생식을 돕는다. 누에는 또한, 수세기 동안 실과 좋은 옷감을 만드는 데 사용되어온 비단을 제공하면서 인간에게 이로운 훌륭한 일을 한다. 잠자리 또한 인간에게 이로운 곤충이다. 그들은 파리와 모기 같은 날아다니는 작은 곤충들을 잡아먹어서 해충의 개체 수를 낮게 유지한다.

A 다음 주어진 영어는 우리말로, 우리말은 영어로 쓰시오.

1 physically _____
2 for sure _____
3 climate _____
4 powder _____
5 criminal _____
6 verify _____
7 affect _____
8 limited _____
9 predator _____
10 habitat _____

11 떠올리게 하다 _____
12 기록 _____
13 제공하다 _____
14 순수한 _____
15 지문 _____
16 믿을 수 있는 _____
17 무늬 _____
18 겉보기에는 _____
19 자신감 _____
20 밝히다, 드러내다 _____

B 다음 주어진 해석을 참고하여, 빈칸을 알맞게 채우시오.

1 What does Valentine's Day remind you of? Maybe it's chocolate! Actually chocolate helps everybody feel happier physically and _____. How old do you think chocolate is? The answer is, well, nobody really knows for sure! The first record of it _____ to over 1500 years ago, in Central America where the climate provided and still provides the perfect place to grow Cacao trees. Chocolate, as we know it today, started in England in 1847 when a food company there _____ sugar with cocoa powder, cocoa butter, and water to make the world's first chocolate bar. A few decades later, in 1875, a Swiss food company added dried milk to it to produce the world's first milk chocolate. Some people think that this was a big _____ in the taste of chocolate, and others _____, saying that it is less pure and less tasty when it is mixed with milk.

발렌타인데이 하면 뭐가 떠오르는가? 아마 초콜릿일 것이다! 사실 초콜릿은 모든 사람을 육체적으로나 정신적으로 더 행복하게 만들어준다. 초콜릿의 나이가 얼마 정도 되었다고 생각하는가? 답은, 글쎄, 아무도 확실하게는 모른다는 것이다! 처음으로 기록된 것은 1,500년 전으로 중앙아메리카로 거슬러 올라가는데, 카카오나무를 재배하기에 기후도 알맞았고, 지금도 여전히 알맞은 곳이다. 오늘날 우리가 알고 있는 초콜릿은 1847년에 영국에서 시작되었는데, 그곳에 있는 한 식품회사가 코코아 분말에 설탕, 코코아 버터, 물을 넣고 섞어서 세계에서 제일 첫 번째의 초콜릿바를 만들었다. 몇십 년이 흐른 1875년에 스위스 식품회사가 여기에 분유를 넣어서 세계 최초의 밀크 초콜릿을 만들었다. 어떤 사람들은 이것이 초콜릿 맛에 있어서 커다란 발전이었다고 생각하고, 또 다른 사람들은 초콜릿에 우유를 넣으면 고유의 맛이 덜하고 맛이 떨어진다며 반대한다.

Answers p.24

2 In movies, TV series, and books, a criminal often leaves a fingerprint on something causing him or her to be _____ by the police. How are fingerprints a reliable way to identify _____? As you may well know, fingerprints are the impressions formed by ridges and grooves in the skin covering your fingers. They are shaped before you are born and remain _____ throughout your whole life. Surprisingly, nobody else in the world has the same patterns as you. The patterns on your fingertips are affected by factors, during _____, such as nutrition, blood pressure, the growth rate of the fingers, and the position in the womb. They make it _____ for two people to have the same fingerprint. In Korea, people have their fingerprints taken when they are issued a resident's registration card. In the US, when a person is arrested, his or her fingerprints are taken and registered into the Automated Fingerprint Identification System. Thus, fingerprints are one of the many ways to verify an individual's _____.

영화, TV 시리즈 그리고 책을 보면 우리는 범죄자가 종종 어딘가에 지문을 남겨 경찰에게 체포된다. 어떻게 지문 개개인을 식별할 수 있는 믿을만한 방법인 것일까? 당신도 잘 알다시피 지문은 손가락을 싸고 있는 피부의 융선과 홈으로 형성된 자국이다. 지문은 당신이 태어나기 전에 모양이 형성되고 그 무늬는 평생 변하지 않는다. 놀라운 것은 세계 어디에서도 당신과 같은 모양의 지문을 가진 사람은 없다는 것이다. 지문에 있는 무늬는 임신 중의 영양, 혈압, 손가락의 성장 속도 그리고 자궁에서의 위치와 같은 요인에 영향을 받는다. 이런 요인들이 사람이 똑같은 지문을 갖는 것을 불가능하게 만든다. 한국에서는 주민등록증을 발급할 때 지문을 찍는다. 미국에서는 체포될 때 지문이 자동지문식별시스템에 등록이 된다. 그러므로 지문은 개개인의 신원을 식별하는 많은 방법 중 하나이다.

3 What _____ humans from other creatures? Human beings are set apart from other creatures by their ability to use tools and make fire. While nobody can explain how early humans _____ fire, there is very convincing evidence revealing early human's ability to control fire. Apparently, Homo erectus, the first upright men, knew how to control fire and it helped them in many ways. What did fire do for early humans? They used fire for light, so their activities were no longer limited to the daytime. Furthermore, it fought off _____. Fire also gave them the confidence to leave their _____ habitats and settle in new, unfamiliar places. It allowed them to cook plants and animals, which makes food more _____ and reduces plant toxins. As a result, the human _____ of making, controlling, and using fire was a landmark in the development of the human species.

인간과 다른 생물을 구별하는 것은 무엇일까? 인간은 도구를 사용하고 불을 만들 줄 안다는 점에서 다른 생물과 구별된다. 초기 인류가 어떻게 불을 발견했는지는 아무도 설명할 수 없지만, 초기 인류가 불을 다룰 줄 알았다는 것을 보여주는 확실한 증거들이 발견되었다. 최초의 직립 보행인인 호모 에렉투스는 불을 다룰 줄 알았고 그것의 도움을 많이 받았던 것으로 보인다. 초기 인류에게 불은 무엇을 해주었을까? 그들은 불을 빛으로 사용했고 그래서 그들의 생활은 더 이상 낮에 한정되어 있지 않았다. 게다가 그것은 육식 동물들을 쫓아내 주었다. 불은 또한 익숙한 주거지를 떠나 새롭고 낯선 곳에 정착할 자신감을 주었다. 불은 그들이 동식물을 익혀먹을 수 있게 해서 더 소화가 잘 되는 음식을 만들 수 있었고 식물의 독소를 제거할 수도 있었다. 그 결과 불을 만들고, 다루고, 사용하는 인간의 능력은 인류의 발달에 획기적인 사건이었다.

A 다음 주어진 영어는 우리말로, 우리말은 영어로 쓰시오.

1	skull	_____	11	신체 기관	_____
2	nerve	_____	12	비교하다	_____
3	calculate	_____	13	기능	_____
4	opposite	_____	14	운동	_____
5	intellectual	_____	15	불쾌한	_____
6	alcohol	_____	16	불안해하는, 열망하는	_____
7	incredible	_____	17	습관	_____
8	summit	_____	18	존중하다	_____
9	endlessly	_____	19	열정	_____
10	pointless	_____	20	거절하다	_____

B 다음 주어진 해석을 참고하여, 빈칸을 알맞게 채우시오.

1 The brain is one of the most important human organs, which is _____ by a hard skull. It is divided into two parts, left and right, and contains thousands of nerve cells controlling your body's different functions. In addition, it _____ memory, emotions, languages, and learning, and controls more basic functions such as eating, sleeping, and heart rate. As a matter of fact, it is the _____ of your body. Then what can you do to make the brain work better? Depending on how you live, your brain can work better or worse. First, play games like crosswords, Sudoku puzzle, or chess. They help _____ your brain's speed and memory. Second, if you are left-handed, try to use your opposite hand. It helps _____ parts of the brain that you don't normally use. Third, calculate something or count numbers wherever you are. Several parts of your brain are _____ when you do something with numbers. Finally, pick a book that has a totally new subject and read. It will give your brain a workout.

뇌는 인간의 신체 기관 중에 가장 중요한 것 중 하나이며 그것은 딱딱한 두개골로 보호를 받고 있다. 그것은 좌뇌와 우뇌 두 부분으로 나뉘며 신체의 다른 기능을 통제하는 수많은 신경 세포를 포함한다. 게다가 그것은 기억, 감정, 언어 그리고 학습을 조절하며 식사, 수면, 그리고 심장 박동 수와 같은 기본적인 기능을 통제한다. 사실, 그것은 당신 신체의 지휘관이다. 그렇다면 당신은 어떻게 뇌를 좀 더 효과적으로 작동하게 할 수 있을까? 당신이 어떻게 사느냐에 따라서, 당신의 뇌는 더 효과적으로 작동할 수도, 덜 효과적으로 작동할 수도 있다. 먼저, 크로스워드나, 스도쿠 퍼즐, 또는 체스와 같은 게임을 하라. 그것들은 당신의 뇌의 속도와 기억력을 개선하는 데 도움을 준다. 둘째, 여러분이 왼손잡이라면 반대 손을 사용하려고 노력하라. 그것은 당신이 보통 사용하지 않는 뇌의 부분을 자극하는 데 도움을 준다. 세 번째는, 당신이 어디에 있든 어떤 것을 계산하거나 수를 세어보아라. 당신이 수와 관련된 무언가를 할 때 당신의 뇌의 여러 부분이 활성화된다. 마지막으로 완전히 새 주제를 다루는 책을 골라서 읽어라. 그것은 당신의 뇌에 운동이 될 것이다.

2 Smartphones are often praised as incredible intellectual tools. But recently we have begun to realize that there are unpleasant _____ of using the smartphone all the time. The term "addiction" is used to define "a habit that is so strong that one cannot give it up." People are _____ to various things, from coffee and alcohol to gambling and their work. But can people really become addicted to smartphones? The _____ signs are various and can include any of the following:

– Feelings of _____ when not on-line

– Lack of control over time spent using your smartphone

– Waking up early or staying up late to play with your smartphone

– Taking your smartphone everywhere you go, and being anxious to check it all the time

– Getting _____ if you let an hour go by without checking text messages

– Believing that your SNS friends, who you haven't actually met, are your best friends

스마트폰은 종종 놀라운 지적 도구로 칭송받는다. 하지만, 최근 우리는 온종일 스마트폰을 사용하는 것의 유쾌하지 않은 부작용을 인식하게 되었다. '중독'이라는 말은 '너무 강해서 포기할 수 없는 습관'을 정의하는 데 쓰인다. 사람들은 커피, 알코올에서부터 도박, 일까지 여러 가지에 중독된다. 하지만, 사람이 스마트폰에도 정말 중독될 수 있을까? 주의 징후는 다양하며 다음 내용의 어떤 것이라도 포함할 수 있다.
– 인터넷에 접속하지 않으면 공허감을 느낌
– 스마트폰을 사용하는 시간을 통제하지 못함
– 스마트폰으로 놀려고 아침 일찍 일어나거나 늦게 잠자리에 듦
– 가는 곳 어디에나 스마트폰을 챙겨가고 항상 확인하기를 열망함
– 문자메시지를 한 시간이라도 확인하지 못하면 불안해함
– 한 번도 만나본 적이 없는 SNS 친구를 가장 친한 친구로 여김

3 What do you think the worst _____ is? How about a never-ending punishment? According to Greek Mythology, Sisyphus was a clever but cunning individual, making fun of the Gods, breaking the rules, and refusing to respect the order of the _____. For his punishment, the Gods made him eternally _____ a rock up to the top of a mountain and see it roll back down every time it reaches the summit. The Gods thought that there was no crueler punishment than pointless and hopeless _____. French philosopher Albert Camus mentioned in his book that Sisyphus probably had a chance to think back on his life as the rock rolled back down. Sisyphus knew his fate of rock rolling was the new meaning of his life. He accepted his _____ and went down the mountain so he could roll the rock back up again. Comparing humanity to Sisyphus, Camus claimed that a modern person's life is not different from Sisyphus'. Camus even suggested that a person should find the meaning of the life from his or her endlessly repeating routines. Fortunately, you have a choice: will you be _____ and give up at the sight of the rock rolling back down or will you start the day with a renewed passion even if that day will be the same as before?

가장 무서운 벌은 무엇이라고 생각하는가? 영원히 계속되는 벌은 어떨까? 그리스 신화에 따르면, 시시포스는 영리했지만 교활한 사람이었고, 신들을 조롱하고 규칙을 어겼으며 우주의 섭리를 따르기를 거부했다. 그에 대한 벌로, 신들은 그에게 영원히 커다란 바위를 산꼭대기까지 굴려서 올리게 했고, 바위가 정상에 도달할 때마다 다시 아래로 굴러 떨어지는 것을 봐야 했다. 신들은 목적과 희망이 없는 노동보다 더 가혹한 형벌은 없다고 생각했다. 프랑스 철학자 알베르 카뮈는 그의 책에서 시시포스는 바위가 다시 굴러 내려갈 때마다 아마도 자신의 삶을 되돌아보았을 것이라고 말했다. 시시포스는 바위를 굴리는 운명이 자신의 삶의 새로운 의미라는 것을 알았다. 그는 운명을 받아들여 다시 산 아래로 내려갔다. 다시 바위를 밀어올리기 위해서 말이다. 인류를 시시포스와 비교해서, 카뮈는 현대인들의 생활도 시시포스의 삶과 다를 바 없다고 했다. 카뮈는 심지어 사람이 끊임없이 계속 반복되는 생활 속에서 삶의 의미를 찾아야 한다고 주장했다. 운 좋게도, 당신에게는 선택권이 있다. 당신은 바위가 굴러 내려가는 것을 보고 낙담하거나 포기할 것인가? 아니면 비록 오늘이 어제와 같은 날이 될지라도 새로운 열정으로 하루를 시작할 것인가?

이것이 This is 시리즈다!

THIS IS GRAMMAR 시리즈
▶ 중 · 고등 내신에 꼭 등장하는 어법 포인트 철저 분석 및 총정리
▶ 다양하고 유용한 연습문제 및 리뷰, 리뷰 플러스 문제 수록

THIS IS READING 시리즈
▶ 실생활부터 전문적인 학술 분야까지 다양한 소재의 지문 수록
▶ 서술형 내신 대비까지 제대로 준비하는 문법 포인트 정리

THIS IS VOCABULARY 시리즈
▶ 교육부 권장 어휘를 빠짐없이 수록하여 입문 · 초급 · 중급 · 고급 · 수능 완성 · 어원편 · 뉴텝스로 어휘 학습 완성
▶ 주제별로 분류한 어휘를 연상학습을 통해 효과적으로 암기

강남인강
강의교재

* Reading, Vocabulary – 무료 MP3 파일 다운로드 제공
★ 강남구청 인터넷 수능방송 강의교재 ★

수준별 맞춤

Vocabulary 시리즈

초등필수 영단어
1-2, 3-4, 5-6 학년용

This Is Vocabulary
입문, 초급, 중급, 고급,
수능완성, 어원편, 뉴텝스

The VOCA+BULARY
완전 개정판 1~7

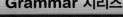

Grammar 시리즈

OK Grammar
Level 1~4

초등필수 영문법+쓰기
1, 2

Grammar 공감
Level 1~3

Grammar 101
Level 1~3

도전 만점 중등 내신 서술형 1~4

Grammar Bridge
Level 1~3
개정판

그래머 캡처
1~2

The Grammar with Workbook
Starter
Level 1~3

This Is Grammar
초급 1·2
중급 1·2
고급 1·2

기초 독해의
확실한 해결책

THIS IS READING

Starter

정답 및 해설

3

NEXUS Edu

기초 독해의
확실한 해결책

THIS IS READING

Starter

정답 및 해설

3

NEXUS Edu

UNIT 01

독해탄탄 VOCA Check 1　　　　p. 12

01 정보 / 성적, 등급 / 중요한 / 언어 / 마라톤
단거리 경주 / 외우다 / 시간 / 복습하다; 복습 / 어구

02 걷다, 걷게 하다 / 석탄 / 경주마 / 손상시키다 / 경주
마구간 / 체조의 / 곡예사 / 비틀다 / 여행가방

03 떨어지다 / 물기둥 / 토네이도 / 덮다, 가리다 / 내용물
물체 / 지붕 / 회전하다 / 자동차 / 관찰하다

독해탄탄 VOCA Check 2　　　　p. 13

1 tornado	2 object	3 grade
4 review	5 twist	

1 토네이도: 용오름은 물 위에서 생긴 토네이도이다.
2 물체: 그것은 물고기나 개구리와 같은 작은 물체를 집어 올릴 수 있다.
3 성적: 나는 시험에서 좋은 성적을 받지 못했다.
4 복습하다: 복습할 시간을 갖는 것도 또한 좋다.
5 비틀다: 곡예사는 특이한 자세로 자신의 몸을 비틀 수 있다.

01 | School Life　　　　p. 15

1 ⑤	2 ②, ④	3 ①

본문 해석

"아, 영어는 너무 어려워. 이번에는 7일 동안 하루에 5시간씩 공부했지만, 시험에서 좋은 점수를 받지 못했어." 언어를 배울 때 기억해야 할 중요한 한 가지는 이것이다. 그것은 마라톤이지 단거리 경주가 아니라는 것이다. 영어를 공부하고 있다면 한꺼번에 많은 정보를 암기하는 것보다 매일 조금씩 익히는 것이 훨씬 더 좋다. 예를 들어, 1주일에 한 번 7시간 동안 연속으로 공부하는 것보다 매일 한 시간 동안 공부하는 것이 훨씬 낫다. 언어를 익히고 기억하는 비결은 규칙적으로 계속해서 사용하는 것이다. 복습할 시간을 갖는 것도 또한 좋다. 몇 분간의 복습이 당신이 새 단어와 구문을 장기적으로 기억하는 데 도움이 될 수 있다.

문제 해설

1 영어 공부는 한꺼번에 많이 하기 보다는 조금씩, 꾸준히 해야 효과적이라는 것이 이 글의 요지이므로 정답은 ⑤이다.
　① 영어는 배우기 쉬운 언어이다.
　② 영어를 공부할 때 말하기가 읽기보다 더 중요하다.
　③ 영어를 잘 말하기 위해서 단어를 많이 알아야 한다.
　④ 해외에서 공부하기 위해서 영어를 배워야 한다.
　⑤ 영어 공부는 천천히 하되, 꾸준한 자세로 해야 한다.

2 영어 공부의 효과를 보려면 조금씩, 꾸준히 공부하고, 배운 것을 규칙적으로 사용하고, 복습하는 것이 좋다고 했으므로 정답은 ②, ④이다.

3 빈칸 뒤에 매일 한 시간씩 공부하는 것이 하루에 7시간씩 한꺼번에 공부하는 것보다 낫다는 내용이 나온다. 이는 빈칸 앞에서 영어 공부는 매일 조금씩 해야 한다는 것에 대한 예시가 될 수 있으므로 선택지에서 적절한 연결어는 ① For example(예를 들어)이다.
　② 그러므로 ③ 마침내 ④ 그리고 나서 ⑤ 요약하면

직독 직해

1 나는 / 공부했다 / 다섯 시간을 / 하루에 / 7일 동안 / 이번에
　→ 나는 이번에 7일 동안 하루에 다섯 시간을 공부했다.

2 비결은 / 배우는 것과 기억하는 것에 대한 / 언어를 / ~이다 / 규칙적이고 지속적인 / 사용
　→ 언어를 익히고 기억하는 비결은 규칙적으로 계속해서 사용하는 것이다.

3 또한 좋다 / 시간을 갖는 것이 / 복습할
　→ 복습할 시간을 갖는 것도 또한 좋다.

02 | Interesting Jobs　　　　p. 17

1 ④	2 ③

3 cool, race, contortionist, average, enhanced

본문 해석

'핫워커'라는 말을 들어본 적이 있는가? '핫워커'는 어떤 일을 할까? 뜨겁게 달궈진 석탄 위를 걷는 사람을 말하는 것일까? 아니다. 그것은 뜨거운 것과는 아무런 관련이 없다. '핫워커'는 경기나 운동이 끝난 말의 체온을 식히려 원을 그리며 걷게 하는 사람을 칭하는 말이다. 과열은 말의 신장에 손상을 입힐 수 있기 때문에 이것은 말을 마구간으로 들여보내기 전에 해야 하는 아주 중요한 일이다. 여기 또 다른 재미있는 직업이 있다. 바로 곡예사이다. 곡예사는 특이한 자세로 자신의 몸을 뒤틀 수 있다. 그들은 종종 곡예나 서커스 공연에서 볼 수 있고 곡예사는 때때로 다른 보통 사람들은 들어갈 수 없는 여행가방 안에 자신의 몸을 밀어 넣기도 한다. 일반적으로 곡예사들은 놀라운 유연성을 가지고 태어난다고 알려져 있고 그들은 이것을 신체 훈련이나 운동을 통해 향상시킨다. 그들이 연체동물처럼 몸을 구부리는 것이 멋지지 않은가?

문제 해설

1 경주나 운동이 끝난 말의 열을 식히지 않고 그대로 마구간에 보내면 신장에 해롭다고 했으므로 정답은 ④이다.

2 ⓑ의 its는 hot walker(핫워커)가 아닌 앞서 나온 명사인 a horse를 지칭한다. 따라서 정답은 ②이다.

3 핫워커는 경주마가 몸을 식힐(cool) 수 있도록 걷게 하는 사람이다. 말은 큰 경주 후 몸이 진짜 뜨거워지기 때문에, 경주(race) 직후에 바로 마구간으로 돌아가는 것은 위험하다. 곡예사(contortionist)는 자신의 몸을 구부림으로써 사람들을 놀라게 해서 신체적인 유연성을 보이는 사람이다. 그들은 가끔씩 일반(average) 사람들은 절대로 들어갈 수 없는 작은 장소에 들어간다. 일반적으로 곡예사는 훈련을 통해 추후에 강화되는(enhanced) 유연성을 타고났다.

직독 직해

1 그것은 / 아무런 관계가 없다 / 뜨거운 것과
→ 그것은 뜨거운 것과 아무 관계가 없다.

2 곡예사는 / 뒤틀 수 있다 / 자신의 몸을 / 특이한 자세로
→ 곡예사는 특이한 자세로 자신의 몸을 뒤틀 수 있다.

3 믿어진다 / ~라는 것이 / 곡예사는 / 태어난다 / 놀라운 유연성을 가지고
→ 곡예사는 놀라운 유연성을 가지고 태어난다고 믿어진다.

03 | Expressions
p. 19

1 ① **2** ② **3** Cold, waterspout, animals, moves, stops, drops

본문 해석

당신은 아마 비가 굉장히 많이 쏟아지는 것을 의미하는 'raining cats and dogs'라는 표현을 들어본 적이 있을 것이다. 그러면 'raining fish'는 어떤 의미일까? 이것은 숙어도 아니고 전설도 아니다. 믿거나 말거나, 그것은 실제로 가끔 일어난다. 이것은 용오름이라고 불리는 흔하지 않은 기상 현상이다. 용오름은 해상에서 발생하는 토네이도인데 차가운 공기가 따뜻한 물 위를 지날 때 만들어진다. 해상의 토네이도에 의해 생긴 맹렬한 바람이 물체를 집어 올려서 수 마일까지 옮길 수 있다. 이 용오름이 멈추면 구름이 흩어지고 내용물을 떨어뜨린다. 용오름이 얼마나 강하냐에 따라서 물고기나 개구리와 같은 작은 물체에서부터 자동차처럼 큰 물체까지도 들어 올릴 수 있다. 개구리가 비처럼 내리는 것은 고대 그리스에서 처음 목격되었다. 수많은 개구리가 마케도니아의 하늘에서 떨어져 내렸고 길과 지붕이 개구리로 뒤덮였다. 동물이 비처럼 내리는 것은 전 세계 어느 곳에서든지 일어날 수 있다. 그러므로, 다음에 하늘에서 무엇이 떨어져 내릴지 잘 지켜보도록 해라.

문제 해설

1 용오름은 물 위에서 발생한 토네이도로, 그 강도에 따라서 작은 물건부터 자동차 같이 큰 물건도 들어 올릴 수 있다고 했으므로 정답은 ①이다.

2 pick up은 ② lift(들어 올리다)와 같은 뜻이 있다.
① 고르다 ③ 사다 ④ 들어가다 ⑤ 운전하다

---

3 차가운(Cold) 공기가 따뜻한 물 위로 이동한다. → 용오름(waterspout)이 형성된다. → 용오름이 동물(animals)과 다른 물건을 들어 올린다. → 용오름이 이들을 다른 곳으로 이동시킨다(moves). → 용오름이 멈춘다(stops). → 용오름이 내용물을 떨어뜨린다(drops).

직독 직해

1 그것은 ~이다 / 특이한 기상 현상 / ~라 불리는 / 용오름
→ 그것은 용오름이라 불리는 특이한 기상 현상이다.

2 그 맹렬한 바람 / 생기는 / 해상의 토네이도에 의해 / 들어 올릴 수 있다 / 물체를
→ 해상의 토네이도에 의해 생긴 맹렬한 바람이 물체를 들어 올릴 수 있다.

3 그것은 / 들어 올릴 수 있다 / 작은 물체를 / 물고기나 개구리 같은 / 심지어 더 큰 것도 / 자동차와 같은
→ 그것은 물고기나 개구리와 같은 작은 물체에서부터 심지어 자동차처럼 더 큰 물체까지도 들어 올릴 수 있다.

Words Review
p. 20

| **1** memorize | **2** average | **3** form |
| **4** ancient | **5** violent | |

1 암기하다

2 평균적인

3 형성하다

4 고대의

5 맹렬한

UNIT 02

독해탄탄 VOCA Check 1
p. 22

01 비타민 / 힘 / 에너지, 기운 / 우울한 / 활력
응원하다 / 개선하다 / 기억력 / 낮추다 / 위험

02 말라리아 / 지역 / 질병 / 열대지방의 / 여행하다
예방조치 / 예방하다, 막다 / 모기 / 처방하다 / 약

03 예술가 / 외로운 / 감정적인 / 부족하다 / 지지하다
딜러, 중개인 / 재정적인 / 성공적인 / 실패 / (땅에) 묻다

독해탄탄 VOCA Check 2
p. 23

| **1** disease | **2** failure | **3** lower |
| **4** strength | **5** medicine | |

1 질병: 말라리아는 가장 흔한 질병 중 하나이다.

2 실패: 빈센트 반 고흐는 자신의 삶이 완전히 실패라고 믿었다.

3 낮추다: 그것들은 암 위험도를 낮출 수 있다.

4 힘: 그것들은 당신에게 힘과 활력을 줄 수 있다.

5 약: 당신의 의사는 약을 처방해 줄 것이다.

01 | Health
p. 25

1 ⑤   2 (to) cheer   3 ④

본문 해석

비타민 A, 혹은 베타카로틴 음식은 종종 빨간색이다. 이런 종류의 음식은 건강에 매우 좋다. 그것들은 당신에게 힘, 에너지, 그리고 활력을 줄 수 있다. 그것들은 또한 당신의 기분을 북돋아주고, 기억력을 향상시키며 암의 위험성을 낮출 수 있다. 당신이 우울하다면 더 많은 붉은 색깔의 음식을 먹어라, 그러면 기분이 좋아질 것이다. 그것들은 또한 강한 항산화제인 리코펜을 포함하고 있다. 리코펜은 우리의 몸이 암을 일으킬 수도 있는 독소와 대항해 싸우는 데 도움을 준다. 그러면 이 건강에 좋은 붉은 색깔의 음식으로는 뭐가 있을까? 토마토, 고추, 체리, 사과, 딸기, 그리고 수박이 가장 인기 있고 좋은 음식들이다! 그러니까 다음에 슈퍼마켓에 갈 때는 반드시 집으로 몇 개 사 가도록 해라!

문제 해설

1 베타카로틴은 힘, 에너지, 활력을 주고, 기분을 북돋아주며 기억력을 향상시킬 수 있고, 붉은 색깔 음식에 포함된 리코펜은 암을 유발하는 독소와 싸울 수 있도록 돕는다고 했다. 선택지 중 언급되지 않은 것은 ⑤이다.

2 help는 to부정사나 원형부정사를 취한다. 따라서 cheering은 cheer 또는 to cheer로 고쳐야 한다.

3 삽입 문장은 붉은 색 음식에는 어떤 것이 있는지 묻고 있는데, (C) 뒤에 이런 음식들의 예가 나오고 있으므로 정답은 ③이다.

직독 직해

1 당신이 우울하다면 / 더 많은 붉은 색깔의 음식을 먹어라, / 그러면 / 기분이 좋아질 것이다.

　→ 당신이 우울하다면 더 많은 붉은 색깔의 음식을 먹어라, 그러면 기분이 좋아질 것이다.

2 그들은 / 또한 포함한다 / 리코펜을 / 강력한 항산화제인

　→ 그것들은 또한 강력한 항산화제인 리코펜을 포함하고 있다.

3 그러니 / 명심해라 / 집에 몇 개 가져가도록 / 다음에 / 당신이 슈퍼마켓에 갈 때

　→ 그러니 다음에 슈퍼마켓에 갈 때는 반드시 집으로 몇 개 사 가도록 해라.

02 | Useful Info
p. 27

1 ①   2 ③   3 ⑤

본문 해석

말라리아는 당신이 열대지방이나 아열대지방을 여행할 때 걸리기 쉬운 가장 흔한 병 중 하나이다. 남아메리카, 아시아, 아프리카를 포함하는 특정 지역은 말라리아 문제를 겪고 있다. 그래서 그런 지역을 여행할 계획이라면 그것을 예방하도록 미리 조치를 취하는 것이 중요하다. 무엇보다도, 말라리아는 모기를 통해 전염되기 때문에 강력한 방충제를 많이 준비해야 한다는 것을 명심해라. 둘째, 이런 지역 중 어느 곳이라도 가기 전에 의사와 상의해라. 의사는 당신이 가려고 하는 지역이 말라리아가 발병한 지역인지 아닌지를 알려줄 것이다. 만약 그곳이 말라리아가 발생하는 지역이라면 의사는 당신이 말라리아에 걸리지 않도록 하는 약을 처방해 줄 것이다.

문제 해설

1 이 글은 말라리아 발병 지역에 여행갈 때 감염을 예방하기 위해 취할 수 있는 조치들에 대해 설명하고 있다. 따라서 정답은 ①이다.
　① 말라리아를 예방하는 법
　② 말라리아 환자를 치료하는 법
　③ 말라리아에서 회복되는 법
　④ 한 지역에서 말라리아를 박멸하는 법
　⑤ 말라리아 발생 시 해야 할 일

2 말라리아를 예방하는 방법의 첫 번째로 강력한 방충제를 준비하고, 두 번째로 여행 전 의사와 상담하라고 조언하고 있다. 빈칸은 두 번째 조언 내용 앞에 나오므로 적절한 연결어는 ③ Secondly(두 번째로)이다.
　① 무엇보다도 ② 그러므로 ④ 또는 ⑤ 예를 들어

3 대명사가 앞서 언급된 명사를 대신해서 쓰이는 것처럼 do에는 앞에서 언급된 동사구의 반복을 피하기 위해서 사용되는 대동사 역할을 할 수 있다. 앞 문장의 if the area you are going to has a malaria outbreak를 뒷문장 if it does로 다시 언급하고 있는데, it은 the area you are going to를, does는 has a malaria outbreak를 차례로 대신하고 있다. 따라서 정답은 ⑤이다.

직독 직해

1 중요하다 / 주의하는 것이 / 예방하기 위해 / 그것에 걸리는 것을

　→ 그것에 걸리지 않도록 예방하는 것이 중요하다.

2 이야기 할 것을 명심해라 / 당신의 의사와 / ~ 전에 / 당신이 가기 / 그 지역들 중 어느 곳으로

　→ 이런 지역 중 어느 곳이라도 가기 전에 반드시 의사와 상의해라.

3 당신의 의사는 / 당신에게 알려줄 것이다 / ~인지 아닌지 / 그 지역이 / 당신이 가려고 하는 / 말라리아가 발병했는지

　→ 의사는 당신이 가려고 하는 지역이 말라리아가 발생하는 지역인지 아닌지를 알려줄 것이다.

1 ④	**2** ②	**3** support

본문해석

유명한 화가인 빈센트 반 고흐는 평생 외로웠다. 그는 극도로 감정적이었으며 자신감이 부족했다. 하지만, 그에게는 다행히도 그를 지지해주는 4살 어린 동생 테오 반 고흐가 있었다. 테오 반 고흐는 성공한 예술품 판매상이었다. 테오의 충실한 재정적인 뒷받침으로 그의 형이 그림 그리는 것에 전적으로 매진할 수 있었다. 그는 빈센트의 가장 가까운 친구였으며, 빈센트는 수백 통의 편지를 테오에게 썼다. 테오는 주로 빈센트의 정신적인 상태를 걱정했으며 자신의 형을 이해했던 몇몇 안 되는 사람 중의 하나였다. 빈센트 반 고흐는 자신의 삶이 완전히 실패였다고 믿었지만, 테오는 항상 그를 위해 있었다. 테오는 빈센트가 죽은 지 6개월 후에 세상을 떠났고, 프랑스의 오브르에서 그의 형 곁에 묻혔다.

문제해설

1 이 글은 빈센트 반 고흐가 그림에 전념할 수 있도록 물질적, 정서적으로 많은 도움을 준 동생인 테오 반 고흐에 대한 내용으로 주제로 가장 적절한 것은 ④이다.

2 빈센트 반 고흐는 동생 테오(Theo)가 있었고, 자신감이 부족했다. 빈센트가 죽은 지 6개월 후 테오가 사망했고, 테오는 빈센트의 가장 좋은 친구였다고 했다. 빈센트가 프랑스에 묻히긴 했지만, 프랑스에서 태어났다고 하지는 않았으므로 정답은 ②이다.
   ① 그는 테오(Theo)라는 이름의 동생이 있었다.
   ② 그는 프랑스에서 태어났다.
   ③ 그는 자신감이 충분하지 않았다.
   ④ 그는 동생보다 먼저 사망했다.
   ⑤ 테오는 그에게 좋은 친구 같은 사람이었다.

3 빈센트 반 고흐는 그의 동생의 지원(support) 때문에 그림에 전념할 수 있었다.

직독직해

1 그는 / 운이 좋았다 / 있어서 / 지지해주는 형제가 / 테오 반 고흐라는
   → 그에게는 다행히도 그를 지지해주는 동생 테오 반 고흐가 있었다.

2 테오의 한결같은 재정적 지원은 / 가능하게 했다 / 그의 형이 / 전념하도록 / 전적으로 그림 그리기에
   → 테오의 한결같은 재정적 지원으로 그의 형이 그림 그리는 것에 전적으로 매진할 수 있었다.

3 그는 / ~ 중의 하나였다 / 몇 안 되는 사람들 / 그의 형을 이해했던
   → 그는 자신의 형을 이해했던 몇몇 안 되는 사람 중의 하나였다.

1 risk	**2** improve	**3** prevent
4 prescribe	**5** allow	

1 위험
2 개선하다
3 예방하다
4 처방하다
5 가능하게 하다

UNIT 03

01 기원 / 정확히 / 단어 / 짧게 하다 / (시간이) 지나가다 마차 / 나르다 / 사방에, 주위에 / 발명하다 / 작동시키다

02 유혹하다, 끌어당기다 / 열대우림 / (생물) 종 / 이파리, 잎 꽃피다 / 크기 / 모양 / 모습 / 뿌리 / 줄기

03 많지 않은, 적은 / 건강하지 않은 / 식사 / 부엌 / 해로운 바쁜 / 선택하다 / 망치다 / 식욕 / 규칙적인

1 unhealthy	**2** bloom	**3** stem
4 Carriage	**5** origin	

1 건강하지 않은: 우리는 지방이 많이 포함된 건강하지 않은 간식을 선택한다.

2 꽃피다: 그것은 일년에 한 번 개화하고 5일에서 7일 동안만 핀다.

3 줄기: 라플레시아는 뿌리, 줄기, 심지어 잎도 없다.

4 마차: 마차는 말로 인해서 동력을 공급 받았다.

5 기원: 'car'라는 단어의 어원을 아는가?

01 | Origin
p. 35

1 ②　　　　**2** ④

3 ⓐ shortened, ⓑ invented

본문 해석

'car'란 단어의 어원을 아는가? 'car'란 단어는 어디에서 비롯된 것일까? 우리 모두는 car(자동차)가 무엇인지 안다. 우리는 그것이 'automobile'의 또 다른 이름이라는 것도 알고 있다. 그러나 car가 정확히 어떻게 car로 불리게 되었을까? 'car'라는 단어는 'carriage'란 단어의 축약된 형태이다. automobile(자동차)이 발명되기 전에 사람들은 말로 동력을 공급받는 carriage(마차)로 돌아다녔다. 그건 그렇고 'carriage'라는 단어는 'carry(운반하다)'라는 단어에서 비롯되었다. 자동차가 처음 발명되었을 때 많은 사람들은 그것을 'horseless carriages(말 없는 마차)'라고 불렀다. 그리고 시간이 지나면서 그것은 간단히 'cars'로 짧아졌다.

문제 해설

1 자동차(car)가 발명되기 전 사람들은 마차(carriage)를 타고 다녔는데, 자동차가 발명되자, 사람들은 자동차를 말 없는 마차(horseless carriage)로 부르고, 이 표현을 짧게 줄여서 car가 되었다는 내용이다. 따라서 이 글은 car라는 단어가 어떻게 생겨났는지 설명하고 있으므로 정답은 ②이다.

2 carriage(마차)는 carry(옮기다)에서 파생된 단어이므로 정답은 ④이다.
① 말 ② 자동차 ③ 수레 ④ 옮기다 ⑤ 자동차

3 shorten은 '줄이다'라는 동사이다. car는 carriage를 짧게 줄인 표현이므로 수동 의미의 분사 shortened가 적절하다. 또 자동차(automobile)는 발명되는 대상이므로 역시 수동의 분사 invented가 적절하다.

직독 직해

1 우리 모두는 / 알고 있다 / 자동차가 무엇인지
→ 우리 모두는 자동차가 무엇인지 알고 있다.

2 우리는 / ~라는 것도 알고 있다 / 그것은 또 다른 이름이라는 / 'automobile'의
→ 우리는 이것이 'automobile'의 또 다른 이름이라는 것도 알고 있다.

3 사람들은 / 돌아다녔다 / 마차를 타고 / 동력을 받는 / 말에 의해
→ 사람들은 말로 동력을 공급받는 마차로 돌아다녔다.

02 | Interesting Facts
p. 37

1 ②　　　　**2** ②　　　　**3** ④

본문 해석

세계에서 가장 큰 꽃의 종류는 라플레시아라고 불린다. 이것은 주로 인도네시아와 말레이시아의 동남아시아 열대 우림 지역에서 자란다. 사실 이것은 단지 한 종류의 식물이라기보다 26종으로 이루어진 하나의 집합이다. 모든 종이 크기, 모양, 전체적인 외양 면에서 연관이 있다. 라플레시아에 관한 재미있는 점 한 가지는 뿌리, 줄기, 심지어 잎도 없다는 것이다. 이것은 기생 식물인데, 이는 정글의 덩굴 식물에 붙어서 기생한다는 것을 의미한다. 크기로 말하자면 가장 큰 유형은 지름이 1미터가 넘고 무게가 10킬로그램이 넘는다. 이것은 일 년에 한 번 개화하고 5일에서 7일 동안만 핀다. 그래서 꽃이 핀 것을 보기 위해서는 운이 좋아야 한다. 이 식물은 자신을 수분시키는 파리들을 유혹하기 위해 마치 썩은 고기와 같은 지독한 냄새를 뿜어낸다. 그러니 당연히 어머니나 여자친구에게 줄 적합한 꽃은 아니다.

문제 해설

1 라플레시아는 26종의 꽃들을 통틀어 지칭하는 말로, 뿌리, 줄기, 잎이 없는 열대 우림 식물이며 큰 것은 1미터가 넘기도 한다. 식용으로 쓴다는 내용은 없으므로 정답은 ②이다.

2 라플레시아는 수분을 위해서 파리 같은 곤충이 필요한데, 곤충을 유인하기 위해서 썩은 고기 냄새를 풍긴다고 했으므로 정답은 ②이다.

3 ⓓ는 라플레시아가 기생하는 넝쿨식물을, 나머지는 라플레시아를 지칭한다. 따라서 정답은 ④이다.

직독 직해

1 가장 큰 유형은 / 꽃의 / 세계에서 / 불린다 / 라플레시아라고
→ 세계에서 가장 큰 꽃의 종류는 라플레시아라고 불린다.

2 그것은 꽃을 피운다 / 일 년에 한 번 / 그리고 지속된다 / 5~7일 동안
→ 그것은 일 년에 한 번 개화하고 5일에서 7일 동안만 핀다.

3 그것은 / 발산한다 / 지독한 냄새를 / 썩은 고기와 같은 / 파리들을 유혹하기 위해 / 자신을 수분시키는
→ 그것은 자신을 수분시키는 파리들을 유혹하기 위해 마치 썩은 고기와 같은 지독한 냄새를 뿜어낸다.

1 ⑤   **2** ①   **3** ④

본문 해석

오후 3시다. 당신은 불과 몇 시간 전에 점심을 먹었지만, 벌써 또 배가 고프다. 그리고 저녁까지는 적어도 3시간이나 더 남았다. 어떻게 하겠는가? 물론 뭔가를 먹을 것이다! 이제, 식사 시간 사이에 간식으로 먹을 수 있는 게 많으니까 주방으로 간다. 당신은 무엇을 골라서 먹는가? 아마도 쿠키나 감자칩을 집을지도 모른다. 아이스크림이나 초코바는 어떤가? 그렇지만, 명심해라! 이런 간식들은 모두 설탕이 너무 많이 들어 있고 영양가는 전혀 없기 때문에 몸에 해롭다. 우리는 대개 빨리 준비해서 먹을 수 있는 간식을 먹는다. 우리는 온종일 자주 바빠서 지방이 많이 포함된 건강에 좋지 않은 간식을 선택한다. 또한, 이런 유형의 간식은 우리 식욕을 망칠 수도 있다. 우리가 단 간식을 너무 많이 먹으면, 아마도 다음 식사 때 건강에 좋은 것은 아무것도 먹지 않을 것이다. 그러니까 건강에 좋지 않은 간식을 먹는 것은 규칙적인 식단에 해를 끼칠 수 있다.

문제 해설

1 간식은 당분이 많고, 영양가가 없고, 지방이 많으며, 식전에 식욕을 떨어뜨릴 수 있다는 단점이 언급되었다. 간식이 혈압을 높인다는 말은 없으므로 정답은 ⑤이다.

2 fix는 ① prepare(준비하다)와 같은 뜻이 있다.
② 수리하다 ③ 붙이다 ④ 사다 ⑤ 부착하다

3 there is/are 구문에서 동사의 단 · 복수형은 뒤따르는 명사에 일치시켜야 한다. 따라서 ⓐ는 복수명사(many things)에 어울리는 동사 are가 적절하다. ⓑ는 뒤에 나오는 명사(snacks)와 수를 일치시켜야 하므로 복수형 these가 적절하다. ⓒ는 앞에 나오는 복수형 these와 일치시켜야 하므로 types가 적절하다. 따라서 정답은 ④이다.

직독 직해

1 당신은 / 가지고 있다 / 적어도 / 3시간을 더 / 저녁 식사 때까지
→ 저녁까지는 적어도 3시간이나 더 남았다.

2 우리는 / 보통 / 간식을 먹는다 / 빠른 / 준비해서 먹기에
→ 우리는 대개 빨리 준비해서 먹을 수 있는 간식을 먹는다.

3 먹는 것은 / 건강하지 않은 간식을 / 해로울 수 있다 / 우리의 규칙적인 식사에
→ 건강에 좋지 않은 간식을 먹는 것은 규칙적인 식단에 해를 끼칠 수 있다.

1 diet   **2** appetite   **3** attract
4 attach   **5** origin

1 식단
2 식욕
3 유혹하다, 끌어당기다
4 부착하다
5 기원

UNIT 04

독해탄탄 VOCA Check 1

01 민간요법 / 여드름 / (채소, 과일의) 껍질 / 담그다, 적시다 / 문지르다
행운 / 오이 / 조각 / 놓다 / 주름

02 대중교통, 수송 / 케이블카 / 역사 / 대중의 / 승객
인기 / 비싼 / 전기의 / 귀중한 / 보존하다

03 즐기다 / 대륙의 / 유럽 / 아침식사 / 신선한
(얇게) 썰다 / 제공하다 / 푸짐한 / 미국(식)의 / 제한하다

독해탄탄 VOCA Check 2

1 peel   **2** enjoy   **3** electric
4 rub   **5** transportation

1 껍질: 한 가지 방법은 그냥 오렌지 껍질을 쓰는 것이다.
2 즐기다: 당신은 미국식 아침식사를 즐길 수 있는 기회를 얻을 수 있다.
3 전기의: 최초의 전차가 발명되었다.
4 문지르다: 그것을 물에 담가서, 피부 위에 문질러라.
5 대중교통, 수송: 교통수단의 가장 오래된 형태 중 하나는 케이블카이다.

1 ④   **2** an orange peel   **3** ④

본문 해석

"어, 네 피부가 오렌지처럼 보여!" "무슨 소리야? 내 피부가 오렌지처럼 보인다고?" 당신은 여드름으로 고생하고 있는가? 자, 여기 집에서 쉽게 이용할 수 있는 몇 가지 효과적인 민간요법이 있다. 한 가지 방법은 간단하게 오렌지 껍질을 이용하는 것이다. 그냥 오렌지 껍질을 푹, 아주 푹 적셔라. 사실, 물에 흠뻑 적셔라. 다음에는 그것을 심한 여드름이 난 피부에 문질러라. 또 다른 비슷한 방법은 오이를 사용한다. 오이 잎을 사용 할 수 있고, 혹은 오이를 조각내어 피부에 올려놓을 수도 있다. 많은 사람들은 피부 주름을 막으려고 오이를 사용한다. 하지만, 그것들은 여드름에도 매우 도움이 된다. 당신의 피부에 행운이 있기를!

문제 해설

1 이 글에서 여드름 치료법으로 물에 적신 오렌지 껍질이나 오이 잎이나 오이 조각을 여드름 부위에 붙이는 방법이 언급되었다. 지문의 내용과 일치하는 보기는 ④이다.

2 여드름을 완화시키는 한 가지 방법은 오렌지 껍질(an orange peel)을 이용하는 것으로 '그것'을 적시는데, '그것'을 물에 푹 담가야 한다고 했다. '그것'은 여기서 오렌지 껍질을 가리킨다.

3 전치사 뒤에는 명사나 동명사가 와야 한다. 따라서 동사 get은 동명사 getting이 되어야 한다.

직독 직해

1 여기에 ~들이 있다 / 몇 가지 / 좋은 민간요법이 / 당신이 이용할 수 있는 / 쉽게 / 집에서
→ 여기 집에서 쉽게 이용할 수 있는 몇 가지 효과적인 민간요법이 있다.

2 그것을 문질러라 / 당신의 피부에 / 심한 여드름이 난
→ 그것을 심한 여드름이 난 피부에 문질러라.

3 당신은 / 조각낼 수 있다 / 오이를 / 그리고 그것들을 놓을 수 있다 / 당신의 피부에
→ 오이를 조각내어 피부에 올려놓을 수도 있다.

1 ③   **2** ②

3 Cable cars used to be very common

본문 해석

(B)
미국에서 가장 오래되고 유명한 교통수단 중 하나는 바로 케이블카이다. 케이블카는 흔하고 인기 있는 교통수단이었지만, 지금은 샌프란시스코라는 한 도시에서만 운영되고 있다. 사실 케이블카는 대중교통수단이 아니라 움직이는 유일한 미국역사기념물이다.

(A)
최초의 케이블카는 1873년에 만들어졌고 일반 승객 서비스는 그 후에 곧 시작되었다. 케이블카는 최초의 전차가 발명된 1892년까지 계속 인기를 누렸다. 케이블카의 운영비가 전차보다 훨씬 비싸다는 이유로 케이블카의 인기는 떨어졌다.

(C)
하지만 시간이 지남에 따라 많은 사람은 케이블카가 샌프란시스코의 역사의 소중한 부분이라고 생각하게 되었다. 결국 케이블카 시스템은 잘 보존되었다. 현재 샌프란시스코의 언덕을 매일 세 개의 노선이 오르내리고 있다.

문제 해설

1 (A)에서 전차가 발명되고 나서, 이전까지 쓰였던 케이블카는 운영비가 비싸서 인기가 떨어졌다고 했으므로 정답은 ③이다.

2 (B)에서 케이블카에 대해 소개하고, (A)에서 최초의 케이블카가 발명되고, 전차가 개발된 후 케이블카의 인기가 떨어진 과정이 설명되었다. (C)에서 케이블카 시스템이 소중한 역사의 일부라고 여겨져서 잘 보존된 과정이 설명되었다. 따라서 자연스러운 글의 순서는 ② (B) – (A) – (C)이다.

3 used to+동사원형: 과거에 ~했었다
(used to는 과거의 상태나 습관적 행동을 나타내는 조동사)
be very common: 매우 흔하다

직독 직해

1 그것들은 / 계속했다 / 인기가 높아지는 것을 / 많은 해 동안 / 1892년까지
→ 그것들은 1892년까지 계속 인기를 누렸다.

2 ~중의 하나는 / 가장 오래되고 / 가장 유명한 형태 / 교통수단의 / 미국에서 / 케이블카이다
→ 미국에서 가장 오래되고 유명한 교통수단 중 하나는 케이블카이다.

3 오늘날 / ~들이 있다 / 3개의 노선이 / 오르내리는 / 샌프란시스코의 언덕을 / 매일
→ 오늘날 샌프란시스코의 언덕을 매일 오르내리는 3개의 노선이 있다.

1 ⑤   2 ④   3 ③

본문 해석

당신이 묵는 호텔에 따라 미국식 아침식사나 유럽식 아침식사를 즐길 수 있는 기회를 얻을 수 있다. 일반적으로 미국식 아침식사는 달걀, 얇게 썬 베이컨이나 소시지, 잼이나 젤리, 혹은 버터를 바른 빵이나 토스트가 포함된다. 그것은 보통 커피나 우유, 신선한 과일 주스와 함께 제공된다. 유럽식 아침식사는 보통 버터나 잼, 혹은 마멀레이드를 곁들인 크로아상, 롤 또는 빵과 커피나 차로 구성되어 있다. 이것은 일반적으로 유럽 대륙에서 제공되며 유럽 대륙 사람들은 아침식사를 하루 중 가장 중요한 식사라고 여기지 않는다. 미국식 아침식사가 보통 유럽식 아침식사보다 훨씬 푸짐하다. 유럽식 아침식사는 주로 영국에서 제공하는 푸짐한 영국식 아침식사와는 다르다. 많은 미국의 호텔이 이러한 서비스를 제공하기에 유럽식 아침식사 개념은 유럽에 한정된 것은 아니다.

문제 해설

1 이 글은 호텔에서 흔히 제공되는 미국식 아침식사와 유럽식 아침식사를 비교하고 있다. 따라서 정답은 ⑤이다.

2 유럽식 아침식사에는 버터나 잼, 마멀레이드를 곁들인 크로아상, 롤이나 빵과 커피나 차가 나온다고 했다. ④ 달걀프라이는 여기에 언급되지 않았다.

3 (A) 빈도부사 위치: be동사, 조동사 뒤 / 일반동사 앞
   (B) 비교급 than A: A보다 더 ~한 (big–bigger–biggest)
   (C) be different from: ~와 다르다

직독 직해

1 당신은 / 가질 수 있다 / 기회를 / 즐길 / 미국식 아침식사나 유럽식 아침식사를
   → 당신은 미국식 아침식사나 유럽식 아침식사를 즐길 수 있는 기회를 얻을 수 있다.

2 사람들은 / 여기지 않는다 / 아침식사를 / 가장 중요한 식사로 / 하루의
   → 사람들은 아침식사를 하루 중 가장 중요한 식사라고 여기지 않는다.

3 유럽식 아침식사 개념은 / 한정되지 않는다 / 유럽에
   → 유럽식 아침식사 개념은 유럽에 한정된 것은 아니다.

1 serve	2 expensive	
3 passenger	4 wrinkle	5 soak

1 (음식을) 제공하다
2 비싼
3 승객
4 주름
5 담그다

 **UNIT 05**

독해탄탄 VOCA Check 1   p. 52

01 컴퓨터 / 고장 나다 / 조심하는 / 스팸메일 / (컴퓨터) 바이러스
   훔치다 / 파괴하다 / 파일 / 삭제하다 / 수리하다

02 껍데기, 껍질 / 비명을 지르다 / (날개 등을) 퍼덕이다 /
   악몽 / 바퀴벌레
   역겨운 / 곤충 / 더듬이 / 살아 있는 / 방사선

03 실수 / 알아차리다 / 실험 / 전구 / 예상하다
   피하다 / 이끌다 / 부정적인 / 긍정적인 / 배우다

독해탄탄 VOCA Check 2   p. 53

1 repair	2 Cockroach
3 avoid	4 destroy
5 light bulb	

1 수리하다: 당신은 컴퓨터 수리를 맡겨야 할지도 모른다.
2 바퀴벌레: 바퀴벌레는 인간에게 가장 역겨운 곤충이다.
3 피하다: 그는 같은 실수를 피하는 방법을 배울 수 있었다.
4 파괴하다: 이런 바이러스는 컴퓨터 전체를 망가뜨릴 수도 있다.
5 전구: 그는 전구 실험에서 실패했다.

01 | Computer & Tech
p. 55

1 ⑤　　**2** ⑤

3 These viruses can steal information from our computer

본문 해석

민수가 자신의 이메일을 연다. '너의 가장 친한 친구로부터'라고 쓰인 것을 포함해 몇 통의 편지가 있다. 그는 그것이 자신이 모르는 사람에게서 온 것이라는 것을 발견한다. 그냥 이 파일을 열어보는데 그것이 컴퓨터를 고장 낸다. 아니, 이런! 그렇다! 명심해야 할 중요한 것이 이것이다. 스팸메일을 열 때는 정말로 조심해야 한다. 가끔 사람들은 바이러스가 있는 이메일을 보낸다. 그 이메일을 열면 이 바이러스가 컴퓨터에서 정보를 훔칠 수도 있다. 그거 아는가? 이런 바이러스는 컴퓨터 전체를 망가뜨릴 수도 있다. 그러므로 이메일 보낸 사람을 모른다면 그냥 그 이메일을 삭제하는 게 더 안전하다. 아는 사람에게서 온 이메일만 열어라. 그렇지 않으면, 여러분은 컴퓨터를 들고 수리점에 가서 수리하는데 큰 비용을 지불해야 할지도 모른다. 당신은 그것을 원하지 않는다. 그렇지 않은가?

문제 해설

1 모르는 사람이 보낸 메일은 열지 않고 삭제하는 것이 스팸메일의 피해를 예방하는 방법이므로 정답은 ⑤이다.

2 ⓔ this는 뒤에 언급된 '스팸 메일을 열 때는 신중해야 한다'는 내용을 가리킨다. 나머지는 스팸메일을 가리킨다.

3 steal A from B: B에서 A를 훔치다

직독 직해

1 ~가 있다 / 몇 통의 편지가 / 그 안에 / 하나를 포함해서 / ~라고 말하는 / '너의 가장 친한 친구로부터'
→ '너의 가장 친한 친구로부터'라고 쓰인 것을 포함해 몇 통의 편지가 그 안에 있다.

2 그는 / 그냥 연다 / 이 파일을 / 그리고 / 그것은 / 만든다 / 그의 컴퓨터가 / 고장 나도록
→ 그는 그냥 이 파일을 열어보는데 그것이 컴퓨터를 고장 낸다.

3 그렇지 않다면 / 당신은 / 지불해야 할지도 모른다 / 많은 돈을 / 그것을 수리하기 위해서
→ 그렇지 않다면, 당신은 그것을 수리하는 데 큰 비용을 지불해야 할지도 모른다.

02 | Interesting Facts
p. 57

1 ⑤　　**2** ④　　**3** ④

본문 해석

갈색 등껍질과 기다란 두 가닥의 구불거리는 털을 가지고 있는 것이 밤에 튀어나온다. 당신은 뛰어다니고 소리를 지르며 그것을 잡아 죽이려고 애를 쓴다. 아, 그것이 날아가 버리는데, 아직도 날개를 퍼덕거리는 소리가 들린다. 얼마나 끔찍한 악몽인가! 바퀴벌레는 늘 인간에게 있어서 가장 최악이고 역겨운 곤충이었다. 하지만, 바퀴벌레에 대한 몇 가지 꽤 흥미로운 사실이 있다. 바퀴벌레는 지구에서 3억 년 동안 살아왔는데 그 말은, 그들이 빙하기에도 살아남았다는 것이다. 바퀴벌레에 달린 더듬이는 그들이 위험에 처해있을 때 안전한 곳을 알려주는 감지기 작용을 한다. 바퀴벌레는 거의 모든 것을 다 먹을 수 있고, 머리가 떨어져도 일주일은 버틸 수 있다. (바퀴벌레를 없애는 몇 가지 효과적인 방법이 있다.) 그들의 가장 놀라운 능력은 이것이다. 바퀴벌레는 인간보다 10배 더 큰 핵 방사선에 대한 저항력이 있다는 것이다. 누군가가 핵전쟁으로 인류가 멸망하면 지구는 바퀴벌레가 접수할 것이다라고 해도 농담은 아닌 것이다.

문제 해설

1 바퀴벌레는 더듬이로 안전한 곳을 찾을 수 있고, 모든 것이 다 먹이가 될 수 있고, 머리가 없어도 일주일 동안 살아남을 수 있고, 방사선에 대한 저항력이 인간보다 더 강력하다. 건조한 곳을 좋아한다는 내용은 없으므로 정답은 ⑤이다.

2 빈칸 앞에는 바퀴벌레가 인간에게 가장 역겨운 곤충이라는 내용이 나오지만, 빈칸 뒤에는 바퀴벌레에게는 흥미로운 사실이 있다고 말한다. 두 내용은 서로 상반되는 관계를 이루므로 빈칸에는 ④ However(그러나)가 적절하다.

3 (D)의 내용과 같이 바퀴벌레는 없애는 방법은 지문에서 언급되지 않으므로 정답은 ④이다.

직독 직해

1 당신은 / 여전히 들을 수 있다 / 그것이 / 날개를 퍼덕거리는 것을
→ 그것이 아직도 날개를 퍼덕거리는 소리가 당신에게 들린다.

2 바퀴벌레들은 / 항상 ~였다 / 가장 최악이고 역겨운 곤충 / 인간에게
→ 바퀴벌레는 늘 인간에게 가장 최악이고 역겨운 곤충이었다.

3 그들은 / 가지고 있다 / 핵 방사선에 대한 저항력을 / 약 10배 더 높은 / 인간보다
→ 그들은 인간보다 10배 더 큰 핵 방사선에 대한 저항력이 있다.

03 | People p. 59

1 ③   2 ③
3 how you can perform

Words Review p. 60

Words Review p. 60

| 1 destroy | 2 scream | 3 insect |
| 4 experiment | 5 discourage | |

1 파괴하다
2 소리 지르다
3 곤충
4 실험
5 낙담시키다

본문 해석

당신은 '인생의 우여곡절'이라는 표현을 들어본 적이 있는가? 인생의 위쪽은 인생에서 좋고 긍정적인 것을 뜻하고, 반대로 인생의 아래쪽은 나쁘고 만족스럽지 못한 것을 의미한다는 것을 알 수 있을 것이다. 인생에서 저지르기 쉬운 최악의 실수는 바로 자기 자신을 실망시키는 일이다.

역사상 가장 위대한 발명가 중 한 명인 토머스 에디슨은 전구를 발명하는 실험에서 10,000번을 실패하고 나서 이렇게 말했다. "저는 실패하지 않았습니다. 저는 작동하지 않는 10,000가지의 방법을 찾았을 뿐입니다." 그가 예상한 대로 결과가 나오지 않았기에 같은 실수를 피하는 방법을 배울 수 있었다. 그의 사고방식은 결국 성공에 이르게 했지만, 부정적인 태도는 실패에 이르게 한다. 어떤 일이 잘 안 풀리거나 당신이 성취한 것이 기대했던 것과 맞지 않을 때 낙담하지 않는 것이 중요하다. 대신 이 경험을 통해 자신이 무엇을 배웠고 다음에는 어떻게 더 잘할 수 있는 생각해 봐라.

문제 해설

1 이 글은 실패를 했다고 실망하지 않는 것이 중요하다고 하면서, 10,000번을 실패하고도, 낙담하지 않고 실패에서 교훈을 얻어 같은 실수를 피해서 결국 성공에 이른 에디슨의 사례를 소개하고 있다. 따라서 요지로 가장 적절한 것은 ③이다.

2 에디슨의 사고방식(거듭된 실패에도 실망하지 않고 교훈을 찾는 것)은 성공에 이른 반면, 부정적인 태도는 실패에 이른다는 내용이 문맥상 적절하다. 따라서 정답은 ③이다.

	(A)	(B)
①	더 많은 배움	성공
②	인생의 아래쪽	실수
③	성공	실패
④	실험	경험
⑤	수행	부

3 의문사가 있는 간접의문문: 의문사+주어+동사
(how 이하: think about의 목적어로 더 큰 문장의 일부분이 된 간접의문문)

직독 직해

1 당신은 / 알아차릴지도 모른다 / ~라는 것을 / 인생에서 위쪽은 / 의미한다 / 좋고 / 긍정적인 것을
→ 당신은 인생의 위쪽은 인생에서 좋고 긍정적인 것을 의미한다는 것을 알 수 있을 것이다.

2 그는 / 배울 수 있었다 / 피하는 방법을 / 같은 실수를
→ 그는 같은 실수를 피하는 방법을 배울 수 있었다.

3 중요하다 / 낙담시키지 않는 것이 / 당신 자신을
→ 당신이 낙담하지 않는 것이 중요하다.

UNIT 06

독해탄탄 VOCA Check 1 p. 62

01 혼란 / 항구 / 사이렌 / 폭탄 / 잡다
   탈출 / 위안 / 겁먹게 만들다 / 다친 / 깨다
02 축하하다 / 전통 / 집어 들다 / 뽑다 / 착용하다
   새기다, 깎다 / 커플 / 문신 / 보상[보답]하다 / 열다
03 인터뷰, 면접 / 지원자 / 미래의 / 던지다 / 헷갈리는
   폭풍우가 몰아치는 / 구조하다 / 익사하다 / (좌석이) 빈 / 탑승

독해탄탄 VOCA Check 2 p. 63

| 1 drown | 2 pick up | 3 bomb |
| 4 vacant | 5 tattoo | |

1 익사하다: 당신의 오랜 친구는 당신이 익사하는 것에서 구했다.
2 집어 들다: 젊은 남자와 여자들이 오목한 그릇에서 이름을 꺼내곤 했다.
3 폭탄: 폭탄이 떨어지면서 집 전체가 흔들렸다.
4 비어있는: 빈 좌석은 단 하나가 있다.
5 문신: 커플은 사랑을 표현하기 위해 자신들의 몸에 문신을 새긴다.

1 ①   **2** air raid   **3** ③

4 I jumped out of bed and ran into Daddy's room.

본문 해석

매일 큰 혼란스러운 상황이 벌어졌다. 2시경에, 사이렌 소리가 울리기 시작했고, 우리는 엄청난 총성을 들었다. 폭탄이 떨어지면서 집 전체가 흔들렸다. 나는 다른 무엇보다도 안정을 찾기 위해 나의 '탈출 가방'을 움켜쥐었다. 모든 사람은 복도에 서서 그것이 끝나기를 기다렸다. 우리는 심각하게 다친 병사들을 도우러 밖으로 나갔다. 30분쯤 후에, 모든 것이 조용해지기 시작했다. 나는 위층으로 올라가서 연기 기둥이 항구 위로 올라오는 것을 보았다. 우리는 모든 것이 타 들어가는 냄새도 맡을 수 있었다. 나중에 저녁 식사시간에도 또 한 번의 공습경보 사이렌이 울렸고 나는 완전히 식욕을 잃었다. 우리는 포효하는 듯한 엔진 소리를 들었고, 그리고 나서 폭탄들이 투하되는 소리를 들었다. 나는 극도의 공포심에 휩싸였다. 잠자리에 들었을 때 흔들리는 내 다리는 멈추지 않았다. 자정 무렵에, 잠에서 깨어 나는 침대 밖으로 뛰쳐나와서 아빠 방으로 달려갔다. 폭탄이 계속 투하되었고, 나는 결국 잠이 들었다.

문제 해설

1 총성 소리, 폭탄 소리, 다친 병사 등 전쟁에서 흔히 볼 수 있는 상황이 묘사되고 있으므로 정답은 ①이다.

2 air raid: 공습 (비행기 등을 이용해서 공중에서 폭탄으로 공격하는 것)

3 surprise, interest, frighten 등의 감정 동사는 감정을 느끼는 대상에 대해 과거분사를 쓰고, 감정을 일으키는 원인에 대해서는 현재분사를 쓴다.

4 jump out of: ~ 밖으로 뛰쳐나가다
run into: ~ 안으로 달려가다

직독 직해

1 집 전체가 / 흔들렸다 / ~하면서 / 폭탄이 / 떨어졌다
→ 폭탄이 떨어지면서 집 전체가 흔들렸다.

2 나는 / 붙잡았다 / 내 "탈출 가방"을 / 안정을 찾기 위해 / 다른 무엇보다도
→ 나는 다른 무엇보다도 안정을 찾기 위해 나의 '탈출 가방'을 움켜쥐었다.

3 나는 / 보았다 / 연기 기둥이 / 올라오는 것을 / 항구 위로부터
→ 나는 연기 기둥이 항구 위로 올라오는 것을 보았다.

---

1 ①   **2** their valentine   **3** ③

본문 해석

2월 14일이면 사람들은 사랑하는 사람에게 하트 모양의 초콜릿, 빨간 장미, 선물, 그리고 카드를 준다. 비록 발렌타인데이가 정확히 어떻게 시작되었는지 아는 사람은 없지만, 발렌타인데이는 오랫동안 축하해 온 날이다. 그것의 오랜 역사 때문에 다양한 전통이 전 세계에 존재해 왔다. 유럽의 중세시대에는 젊은 남자와 여자들이 오목한 접시에서 이름을 꺼내곤 했다. 그들이 꺼낸 이름이 그들의 발렌타인이 되었다. 그러고 나서, 그들은 그 이름을 일주일 동안 셔츠소매에 달고 다니곤 했다. 웨일스에서는 오랜 발렌타인 전통으로, 남자들이 나무로 숟가락을 조각해서 자신이 선택한 특별한 여성에게 그것을 주었다. 주로 하트나 열쇠, 열쇠고리 등을 새겨 넣었는데, 그 의미는 "당신이 나의 마음을 열어줍니다!"이었다. 인도에서는 1990년부터 발렌타인데이를 축하해 왔는데, 흥미로운 전통을 가지고 있다. 커플은 자신의 몸에 본인들의 사랑을 표현하기 위해 헤나 문신을 한다. 잉글랜드에서는 어린이들이 노래를 부르고 대가로 사탕이나 과일, 때로는 돈을 받는다. 나라마다, 발렌타인의 전통은 약간씩 다르다. 하지만 이 날은 행복과 사랑이 가득한 멋진 날임이 틀림없다.

문제 해설

1 발렌타인데이 전통으로 그릇에서 꺼낸 상대방의 이름을 소매에 달고 다녔다는 중세 유럽 전통, 나무 숟가락을 조각해서 좋아하는 여성에게 선물한 웨일스의 전통, 문신으로 사랑을 표현하는 인도 전통, 아이들이 노래를 불러주고 대가를 받는 영국의 전통 등이 소개되었다. ①은 언급되지 않은 내용이다.

2 지문 전반부에서 그릇에서 꺼낸 상대방의 이름이 자신들의 발렌타인(their valentine)이 되었다는 말에서 their valentine 이 ⓐ the special lady of their choice 대신 쓸 수 있는 말임을 알 수 있다.

3 unlock은 ③ open(열다)와 뜻이 같다.
① 깨다 ② 데우다 ④ 닫다 ⑤ 가라앉다

직독 직해

1 ~ 때문에 / 그것의 오랜 역사 / 다양한 전통이 / 존재해 왔다 / 세계 곳곳에
→ 그것의 오랜 역사 때문에 다양한 전통이 전 세계에 존재해 왔다.

2 커플은 / 헤나 문신을 한다 / 자신들의 몸에 / 표현하기 위해 / 그들의 사랑을
→ 커플은 자신들의 몸에 본인들의 사랑을 표현하기 위해 헤나 문신을 한다.

3 어린이들이 / 노래를 부른다 / 그리고 / 보상받는다 / 사탕이나 과일 / 그리고 때때로 돈(으로)
→ 어린이들이 노래를 부르고 사탕이나 과일, 때로는 돈으로 보상받는다.

03 | Funny Stories   p. 69

| **1** ③ | **2** ④ | **3** ① |

본문 해석

2년 전에 면접을 볼 당시의 일이다. 나는 다른 지원자들과 함께 앉아 있었고 면접관은 간단하지만 혼란스러운 질문 하나를 던졌다. 그 질문은 다음과 같다. 비바람이 부는 날 밤. 당신은 운전을 하고 있습니다. 버스정류장을 지나가는데 우연히 버스를 기다리는 세 사람을 보게 됩니다. 곧 죽을 것 같은 할머니, 당신이 물에 빠져 죽을뻔했을 때 당신을 구해줬던 오랜 친구, 당신이 꿈꿔온 이상형. 남은 좌석은 단 하나뿐입니다. 당신은 누구를 태우겠습니까? 이 질문이 나를 심각한 딜레마에 빠지게 했다. 나는 누구를 태워줘야 하는지 알 수 없었다. 생명보다 가치 있는 것은 없기 때문에 노부인을 선택할 수 있다. 또는 빚을 갚기 위해 오랜 친구를 선택할 수도 있다. 하지만, 만약 그 여자가 내 미래의 부인이라면? 열심히 머리를 쥐어짜고 있는데 내 옆에 앉아 있던 사람은 아무런 어려움 없이 대답을 생각해냈다. 그는 이렇게 대답했다: "저는 차 열쇠를 제 친구에게 주고 노부인을 병원에 모시고 가라고 하겠습니다. 그리고 전 그 여자와 함께 버스정류장에 남아서 버스를 기다리겠습니다."

문제 해설

1 면접관이 던진 난감한 질문에 대해 글쓴이는 자신이 운전대를 놓지 말아야 한다는 고정관념에 사로잡혀 어떤 대답도 못한 반면, 다른 면접자는 운전대를 포기하고, 질문의 모든 문제를 한꺼번에 해결하는 재치를 보이고 있다. 따라서 이 글에서 암시된 교훈으로 가장 적절한 것은 ③이다.
   ① 비밀을 누설하지 말아라.
   ② 겉모습으로 판단하지 말아라.
   ③ 고정관념에서 벗어나라.
   ④ 다른 사람의 일에 참견하지 말아라.
   ⑤ 김칫국부터 마시지 마라.

2 ⓓ him은 면접관의 질문에 나왔던, 익사의 위기에서 구해줬던 친구를 가리키는 반면, 나머지는 면접관의 질문에 재치 있게 대답한 면접자를 가리킨다. 따라서 정답은 ④이다.

3 삽입 문장은 면접관의 질문에 대한 글쓴이의 반응이므로 면접관의 질문 내용을 소개한 바로 뒤에 나오는 것이 적절하므로 (A)가 정답이다. 또한, (A)는 면접관 질문이 대답하기 어려운 이유가 바로 뒤에 나열되어있어 자연스럽게 들어갈 수 있는 위치가 된다.

직독 직해

1 당신이 버스정류장을 통과할 때 / 당신은 우연히 보게 된다 / 세 사람이 / 버스를 기다리고 있는 것을
   → 당신이 버스정류장을 통과하는데 우연히 버스를 기다리는 세 사람을 본다.

2 나는 / 선택할 수도 있다 / 그 노부인을 / ~ 때문에 / 아무것도 없다 / 더 가치 있는 / 생명보다
   → 나는 생명보다 가치 있는 것은 없기 때문에 노부인을 선택할 수 있다.

3 그 사람은 / 내 옆에 있던 / 아무런 어려움이 없었다 / 대답을 생각하는 데
   → 내 옆에 앉아 있던 사람은 아무런 문제없이 대답을 생각해냈다.

Words Review   p. 70

| 1 awake | 2 grab | 3 celebrate |
| 4 unlock | 5 puzzling | |

1 깨다
2 붙잡다
3 기념하다
4 열다
5 헷갈리는

UNIT 07

독해탄탄 VOCA Check 1   p. 72

01 과제 / 준비된 / 받다 / 해결책 / 불가능한
     망설이다 / 부탁하다 / 이루다 / 도움이 필요한 / 전문가
02 재난 / 부딪치다, 때리다 / 가라앉은 / 찢다, 찢기다 / 구조선
     군대 / 대피시키다, 대피하다 / 명령하다 / 가만히 있는 /
     돕다
03 대출(금) / 추가적인 / 주차장 / 안전 / 건네주다
     바로, 곧장 / 이자 / 요금 / 조사 / 백만장자

독해탄탄 VOCA Check 2   p. 73

| 1 solution | 2 troop | 3 research |
| 4 evacuate | 5 parking lot | |

1 해결책: 당신에게 어떤 해결책도 떠오르지 않을 수도 있다.
2 군대: 남아있는 군인들과 승객들은 갑판으로 돌진했다.
3 조사: 당신에 대해 조사를 했고 당신이 백만장자라는 것을 알아냈다.
4 재난: 재난 중에 여자와 아이를 먼저 대비시키는 것이 남자의 의무이다.
5 주차장: 대출 담당자는 누군가가 그 차를 주차장으로 몰고 가도록 했다.

01 | School Life

p. 75

1 ①　　　**2** ⑤

3 If you really want to get something done by yourself

본문 해석

당신은 시간에 맞춰 끝내기 어려워 보이는 과제나 프로젝트를 맡은 적이 있는가? 당신이 만약 이런 상황이라면 어떤 해결책도 전혀 생각해 낼 수 없을지도 모른다. 그러면 어떻게 할 수 있을까? 한 가지 좋은 생각은 친구한테서 도움을 받는 것이다. 도움을 청하는 것을 주저하지 마라. 아무리 프로젝트가 힘들다고 해도, 사람들이 함께하면 어떤 일도 다 해낼 수 있다. 어려움에 처한 사람들을 기꺼이 도와줄 마음은 있으면서도 남에게서 도움을 받을 준비는 되어 있지 않은 사람들을 찾을 수 있다. 남들에게 도움의 손길을 주는 것만이 아니라 남한테서도 도움을 청하고 받는 것 또한 중요하다고 전문가들은 말한다. 어떤 일을 정말로 여러분 혼자서 끝내고 싶다면 가끔은 다른 사람들의 생각이나 제안을 듣기만 해도 완전히 새로운 답에 눈을 뜰 수 있다. 기억해라, "당신은 혼자가 아니다!"

문제 해설

1 어떤 일을 혼자서 주어진 시간 안에 끝내기 어려울 때 남들에게 도움을 받거나 의견을 들어보면 문제를 해결할 수 있다고 했으므로 이 글의 주제와 가장 잘 어울리는 속담은 ①이다.

2 밑줄 친 ⓐ에서 this situation은 앞 문장에서 언급된 시간 내에 끝내기 힘든 과제가 주어진 상황을 말한다. 이 상황에 처해 있는 경우로 ⑤가 적절하다.

3 If: 만일 ~라면
want to부정사: ~하기를 원하다
get something done: 어떤 일을 끝내다
「get+목적어+to부정사/과거분사」에서 목적어(something)는 끝내는 대상이므로 수동의 의미의 과거분사를 씀
by yourself: 혼자서

직독 직해

1 만일 / 당신이 있다면 / 이 상황에 / 당신은 / ~할 수 없을지 모른다 / 생각해내는 것은 / 어떤 해결책도 / 전혀
→ 당신이 만약 이런 상황이라면 어떤 해결책도 전혀 생각해 낼 수 없을지도 모른다.

2 한 가지 좋은 생각은 / ~이다 / 도움을 얻는 것 / 당신의 친구들로부터
→ 한 가지 좋은 생각은 친구한테서 도움을 받는 것이다.

3 우리는 / 찾을 수 있다 / 몇몇의 사람들을 / 기꺼이 ~하려 하는 / 남들을 돕는 것은 / 어려움에 처한
→ 어려움에 처한 사람들을 기꺼이 도와줄 마음이 있는 몇몇의 사람들을 찾을 수 있다.

02 | Origin

p. 77

1 ⑤　　　**2** ②

3 save, disaster, sinking, board, evacuated

본문 해석

'여자와 아이들 먼저'라는 말을 들어보았는가? '여자와 아이들 먼저' 전통은 1852년 버큰헤드 호에서 유래되었다. 그 표현은 여자와 아이들의 생명을 먼저 구해야 한다는 것을 의미한다. H.M.S. 버큰헤드 호는 선체가 철로 된 최초의 함선 중 하나로 638명의 남성과 여성 그리고 아이들을 태우고 남아프리카의 해안을 항해하고 있었다. 맑은 하늘과 잔잔한 바다에서 어떤 재앙의 징후도 찾아볼 수 없었다. 갑자기 그 거대한 함선은 Danger Point 근처 앞바다의 암초에 부딪혔다. 배의 아랫부분이 찢어져 잠자고 있던 100명이 넘는 군인들은 익사했다. 남아 있는 군인들과 승객들은 갑판으로 돌진했다. 한꺼번에 구명정으로 달려가는 것은 재앙을 가져올 수 있기 때문에, 혼란 속에서, 세튼 대위는 칼을 꺼내, 병사들에게 갑판에 모여 부동자세로 서 있을 것을 명령했다. 그런 다음 그는 몇몇 병사에게 여자들과 아이들이 세 개의 이용 가능한 구명정에 오를 수 있도록 도와주라고 했다. 결국, 그 함선은 여자들과 아이들이 구명정에 안전하게 타고 난 후에 445명의 생명을 앗아가면서 가라앉았다. 심지어 오늘날에도 재난에서 여자와 아이를 먼저 대피시키는 것이 남자의 의무라고 여겨진다.

문제 해설

1 하늘은 맑고, 바다에서도 어떤 재앙의 징후도 보이지 않았지만 배는 갑자기 암초에 부딪힌 상황을 나타내는 적절한 속담은 '마른하늘에 날벼락'이다. 따라서 정답은 ⑤이다.

2 암초에 부딪혀 가라앉는 배에서 여자와 아이들 먼저 구명선에 태우고 결국 나머지 사람들은 배와 함께 가라앉았다는 내용으로 빈칸 뒷부분은 이야기의 결말을 나타낸다. 따라서 적절한 연결어는 ② Eventually(결국)이다.
① 예를 들어 ③ 무엇보다도 ④ 다시 ⑤ 게다가

3 "여자와 아이들 먼저"의 전통은 재난(disaster)에서 여자와 아이들 먼저 구해야(save) 한다는 뜻이다. 그것은 1852년에 H.M.S. 버큰헤드 호가 가라앉을(sinking) 때 시작되었고, 군인들은 선상(board)의 여자와 아이들의 생명을 구하기 위해 자신들의 목숨을 희생했다. 오늘날에도, 전통에 따라 재난이 발생할 때 여자와 아이들을 먼저 대피시킨다(evacuated).

직독 직해

1 생명은 / 여자와 아이들의 / ~이다 / 처음 / 구해져야 할
→ 여자와 아이들의 생명을 먼저 구해야 한다.

2 달려가는 것은 / 구명정으로 / 한꺼번에 / 가져올 수도 있다 / 재앙을
→ 한꺼번에 구명정으로 달려가는 것은 재앙을 가져올 수 있다.

3 ~이다 / 남자의 임무 / 대피시키는 것이 / 여자와 아이들을 먼저 / 재난 중에
→ 재난에서 여자와 아이를 먼저 대피시키는 것이 남자의 의무이다.

14

03 \| Funny Stories

1 ③	2 ③	3 ①

본문 해석

한 뉴욕 사람이 사업 차 유럽으로 떠나기 바로 직전에 자신의 람보르기니를 은행으로 가져간다. 그리고 빠르게 5000달러를 대출받기 위해 안으로 들어간다. 대출 담당자는 매우 놀라면서 말하기를, 그 돈을 대출 받으려면 뭔가 값이 나가는 물건을 담보로 대야 한다고 말한다. 그러자 그 남자는, "여기 내 람보르기니 차의 열쇠가 있습니다"라고 말한다. 대출 담당자는 누군가에게 그 차를 안전하게 은행 주차장으로 몰고 오라고 지시하고, 그 남자에게 5,000달러를 건넨다. 2주 후에, 그 남자는 출장에서 돌아오고, 대출금을 갚고 차를 가지고 가려고 바로 은행으로 간다. 그는 5,000달러를 대출 담당자에게 주고 차를 내달라고 말한다. 대출 담당자가 대답하길, "이자가 16달러 20센트 있습니다, 고객님." 남자는 그에게 16달러 20센트를 주고 차 열쇠를 가지고 가려고 한다. "고객님" 대출 담당자가 말하기를, "출장을 가 계시는 동안 제가 고객님에 대해 조회를 좀 해 봤는데요, 백만장자이시더군요. 저희한테 5,000달러를 왜 빌리셨나요?" 그 남자는 미소를 지으며 말한다. "2주일 동안 내 람보르기니를 안전하게 주차해 두고 고작 16달러 20센트만 내면 되는 곳을 뉴욕 다른 어디에서 찾을 수 있겠습니까?"

문제 해설

1 백만장자가 출장 전에 은행에서 대출을 받고, 출장에서 돌아와 곧바로 대출금을 갚은 것은 주차비를 아끼기 위해서였다는 내용이므로 이 글의 분위기로 가장 적절한 것은 ③ humorous(재미있는)이다.
① 평화로운 ② 교육적인 ④ 폭력적인 ⑤ 슬픈

2 밑줄 친 부분의 의미는 대출 이자보다 주차비가 더 비싸다는 내용으로 정답은 ③이다.

3 (A) 과거분사: 감정을 느끼는 대상에 대해 사용 (현재분사: 감정을 유발하는 대상에 대해 사용)
(B) have+목적어(A)+동사원형(B): A가 B하도록 시키다
(C) start+to부정사/동명사: ~하기 시작하다

직독 직해

1 그는 / 가져야 한다 / 뭔가 / 값이 나가는 물건을 / 대출을 위해
→ 그는 대출 받으려면 뭔가 값이 나가는 물건을 담보로 대야 한다.

2 그는 / 준다 / 5,000달러를 / 대출 담당자에게 / 그리고 요구한다 / 자신의 차를 내달라고
→ 그는 5,000달러를 대출 담당자에게 주고 차를 내달라고 한다.

3 저는 / 조사를 했습니다 / 당신에 대한 / 그리고 알아냈습니다 / 당신이 백만장자라는 것을
→ 저는 당신에 대한 조사를 해서 당신이 백만장자라는 것을 알아냈습니다.

Words Review

1 assignment	2 command
3 evacuate	4 loan
5 millionaire	

1 과제
2 명령하다
3 대피시키다
4 대출(금)
5 백만장자

UNIT 08

독해탄탄 VOCA Check 1	p. 82

01 뮤지컬 / 연극 / 다양한 / 결합하다 / 대화 유사한 / 다른 / 극장 / 체육관 / 텐트, 천막

02 나누다 / 불편한 / 내향적인 사람 / 외향적인 사람 / 깊은 생각 / 재충전하다 / 참여하다 / 활력 넘치는 / 긴장한

03 (침으로) 쏘다 / 농작물 / 비단, 명주실 / 천, 옷감 / 짜증나는 물기, 물린 상처 /(새, 벌레 등이) 울다 /~을 먹다 / 환경 / 해충

독해탄탄 VOCA Check 2	p. 83

1 feed on	2 divide	3 crop
4 nervous	5 theater	

1 ~을 먹다: 그들은 작은 날벌레를 먹는다.
2 나누다: 사람들은 크게 두 가지 기본 유형으로 나뉠 수 있다.
3 농작물: 메뚜기와 귀뚜라미는 농작물과 잔디를 파괴한다.
4 긴장한: 그들이 새로운 사람을 만날 때 긴장하지 않는다.
5 극장: 대개 사람들은 〈캣츠〉를 대형 극장에서 관람한다.

01 | Entertainment

1 ③   2 ④   3 ⑤

본문 해석

당신은 뮤지컬을 좋아하는가? 뮤지컬을 본 적이 있는가? 많은 사람들은 뮤지컬이 연극과 비슷하다고 생각한다. 그렇다. 그것은 사실이다. 뮤지컬은 연극과 비슷한 것 같지만, 다르다. 뮤지컬은 음악, 노래, 대화, 그리고 춤을 결합한 공연이다. 모든 뮤지컬 가운데서, 〈캣츠〉는 세계 최고의 뮤지컬 중의 하나로 여겨진다. 1981년도에 처음으로 초연된 이후로, 〈캣츠〉는 가장 사랑받는 뮤지컬 중의 하나가 되었다. 〈캣츠〉는 부에노스아이레스, 헬싱키, 싱가포르, 서울 등을 포함해서 30개 이상 나라의 약 250개 도시에서 공연되었다. 이 공연은 20개의 다른 언어로 된 다양한 버전이 있다. 대개 사람들은 〈캣츠〉를 대형 극장에서 관람하지만, 극장에서만 공연된 것은 아니고, 일본과 한국에서는 천막 안에서, 스위스에서는 기관차고에서, 미국 전역에서는 학교 체육관에서 공연한 적이 있다. 여러 장소에서 뮤지컬을 감상하면 재미있지 않을까?

문제 해설

1 〈캣츠〉는 연극이 아닌 뮤지컬이므로 일치하지 않는 것은 ③이다.

2 빈칸 문장 뒤에서 연극에는 없는 뮤지컬의 특징이 언급되고 있으므로, 뮤지컬은 연극과 비슷한 부분이 있지만 다르다라는 내용이 되어야 한다. 따라서 ④가 정답이다.

	(A)	(B)
①	다른	가까운
②	즐거운	어려운
③	어려운	쉬운
④	비슷한	다른
⑤	같은	비슷한

3 ⓔ it은 뒤에 나오는 to부정사에 대한 가주어이다. 나머지는 모두 〈캣츠〉를 가리킨다.

직독 직해

1 ~ 이래로 / 그것이 처음 공연했다 / 1981년에 / 그것은 되었다 / ~ 중 하나 / 가장 사랑받는 뮤지컬
→ 1981년에 처음 공연한 이래로 그것은 가장 사랑받는 뮤지컬 중 하나가 되었다.

2 ~들이 있다 / 다양한 버전이 / 그 공연의 / 20개의 다른 언어로 된
→ 그 공연은 20개의 다른 언어로 된 다양한 버전이 있다.

3 재미있지 않겠는가 / 뮤지컬을 즐기는 것은 / 다양한 장소에서
→ 다양한 장소에서 뮤지컬을 즐기는 것은 재미있지 않겠는가?

02 | Interesting Info

1 ③   2 ⑤   3 ①

본문 해석

사람들은 크게 두 가지 기본적인 유형으로 나뉠 수 있다. 그 그룹 중 하나는 내향적인 사람이라고 불리는 사람들이다. 내향적인 사람들은 주로 조용한 사람들이다. 그들은 파티에 가 있거나 많은 사람과 어울려 있으면 불편함을 느끼는 경향이 있다. 그들은 사람들과 '잡담'을 하는 것을 좋아하지 않고, 대신 가까운 친구들과 깊은 대화를 나누는 것을 좋아한다. 그들은 비사교적인 사람들이 아니다. 그들은 그저 생각을 하며 혼자 있는 것을 좋아하는 것뿐이다. 그들은 잘 모르는 사람들과 어울릴 때면 종종 피곤함을 느끼기 때문에 자신들의 에너지를 충전하기 위해서 혼자 있는 것을 좋아한다. 다른 유형의 사람들은 외향적인 사람들이라고 불린다. 내향적인 사람들과는 달리, 그들은 파티를 좋아하고 많은 사람과 함께 있는 것을 좋아한다. 이런 유형의 사람들은 사교적이며 많은 사람과 어울릴 때 활력을 느낀다. 그들은 혼자 집에 있는 것보다 사람들과 밖에 있는 것을 더 좋아한다. 그들은 사람을 처음 만난다 해도 긴장하거나 불편함을 느끼지 않는다.

문제 해설

1 내향적인 사람들은 대체적으로 조용하고, 사색적이고, 새로운 사람들과 함께 있으면 불편해하고, 에너지를 충전하기 위해서 혼자 있는 시간이 필요하고, 깊이 있는 대화를 즐긴다. 반면 외향적인 사람들은 '가벼운 대화(small talk)'를 좋아하고, 새로운 사람들 앞에서도 긴장하지 않으며, 많은 사람들과 함께 있는 것을 좋아하고, 파티 같은 행사를 좋아한다. 알맞은 것들끼리 짝지어진 것은 ③이다.
ⓐ 대체적으로 조용하다
ⓑ 사색하기를 좋아한다
ⓒ "가벼운 대화" 나누기를 좋아한다
ⓓ 새로운 사람들이 주변에 있어도 긴장하지 않는다
ⓔ 새로운 사람들이 주변에 있으면 불편해 한다
ⓕ 에너지를 재충전하기 위해 혼자 있어야 한다
ⓖ 많은 사람과 어울리기를 좋아한다
ⓗ 많은 사람들이 주변에 있으면 힘이 난다
ⓘ 깊은 대화를 선호한다
ⓙ 파티를 좋아한다

2 antisocial은 '비사교적인'이라는 의미가 있다. 이 의미와 어울리는 것은 ⑤이다.
① 말이 많지 않은
② 매우 이해하기 힘든
③ 매우 쉽게 화를 내는
④ 목소리가 부드러운
⑤ 다른 사람들에게 상냥하지 않은

3 지문 전반부에서는 내향적인 사람들(introverts)을 소개하고 빈칸 뒤에서 외향적인 사람들(extroverts)의 특징을 설명하기 시작한다. 이 글은 서로 다른 두 가지 성격 유형을 대조하고 있다. 따라서 빈칸에는 ① Unlike(~와는 달리)가 적절하다.
② ~ 대신 ③ ~에도 불구하고 ④ ~에 따르면 ⑤ ~와 유사하게

1 사람들은 / 크게 나뉠 수 있다 / 두 가지의 기본적인 유형으로
→ 사람들은 크게 두 가지 기본적인 유형으로 나뉠 수 있다.

2 그들은 / ~하는 경향이 있다 / 불편을 느끼는 / ~할 때 / 그들이 파티에 있거나 / 또는 많은 사람들이 있을 (때)
→ 그들은 파티에 가 있거나 많은 사람들이 있을 때 불편함을 느끼는 경향이 있다.

3 그들은 / 밖에 있는 것을 선호한다 / 사람들과 함께 / ~보다 / 집에 혼자 있는 것보다
→ 그들은 혼자 집에 있는 것보다 사람들과 밖에 있는 것을 더 좋아한다.

03 | Science
p. 89

| 1 ② | 2 ② | 3 ③ |

당신은 벌에 쏘이거나, 밤늦게 또는 아침 일찍 귀뚜라미가 우는 소리를 들은 경험이 있을 것이다. 그들은 정말 작은 생명체이고 어떤 사람들에게는 가장 관심이 덜 가는 것일 수도 있다. 반면 어떤 사람들은 곤충을 애완용으로 키운다. 모든 것에는 항상 장단점이 있듯이 곤충도 어떤 종이냐에 따라서 이롭기도 해롭기도 하다. 예를 들면, 모기는 따끔거리게 물기도 하고, 말라리아와 같은 병을 옮기기도 한다. 게다가, 메뚜기와 귀뚜라미는 농작물과 잔디를 망치기도 하고, 진딧물은 식물에 붙어서 여러 가지 해로운 균이나 곰팡이가 자라게 한다. 반면에 벌, 누에, 그리고 잠자리는 우리에게 이익을 주는 곤충들이다. 벌은 우리에게 영양가 있는 꿀과 밀랍을 제공해 준다. 게다가 그들은 환경에 중요한 식물의 생식을 돕는다. 누에는 또한, 수 세기 동안 실과 좋은 옷감을 만드는 데 사용되어온 비단을 제공하면서 인간에게 이로운 훌륭한 일을 한다. 잠자리 또한 인간에게 이로운 곤충이다. 그들은 파리와 모기 같은 날아다니는 작은 곤충들을 잡아먹어서 해충의 개체 수를 낮게 유지한다.

1 이 글에서 귀뚜라미는 농작물을 망치고 진딧물은 식물에 붙어서 해로운 균이나 곰팡이가 자라게 만든다고 했으므로 일치하지 않는 것은 ②이다.

2 대부분의 사람들은 곤충이 크기가 작아서 관심을 덜 기울이는 반면 애완용으로 곤충을 키우는 사람들도 있다는 흐름으로 전개되는 것이 자연스러우므로 삽입 문장이 들어갈 위치는 (B)이다.

3 take advantage of는 ③ use(이용하다)와 의미가 같다.
① 키우다 ② 보다 ④ 잡다 ⑤ 쫓아내다

1 곤충은 ~이다 / 도움이 되기도 하고, 해가 되기도 하는 / 종에 따라서
→ 곤충은 종에 따라서 도움이 되기도 하고, 해가 되기도 한다.

2 벌은 / 우리에게 제공한다 / 영양가 있는 꿀과 밀랍을
→ 벌은 우리에게 영양가 있는 꿀과 밀랍을 제공한다.

3 그들은 / 돕는다 / 식물의 번식에 있어서 / 그리고 그것은 중요하다 / 환경에
→ 그들은 식물 번식을 돕는데, 이는 환경에 중요하다.

Words Review
p. 90

1 performance	2 combine
3 outgoing	4 harmful
5 beneficial	

1 공연

2 결합하다

3 외향적인

4 해로운

5 이익이 되는

UNIT 09

독해탄탄 VOCA Check 1
p. 92

01 동의하지 않다 / 기록 / 10년 / 생산하다 / 기후
섞다 / 가루 / 추가하다 / 맛있는 / 순수한

02 지문 / 범죄자 / 붙잡다 / 태어난 / 성장
신원 / 무늬 / 임신 / 압력 / 믿을 수 있는

03 도구 / 증거 / 허락하다 / 설명하다 / 맹수, 포식자
구분하다 / 발견하다 / 밝히다, 드러내다 / 자신감 / 독소

독해탄탄 VOCA Check 2
p. 93

| 1 arrest | 2 record | 3 distinguish |
| 4 fingerprint | 5 add | |

1 체포하다: 누군가 체포되면 그 사람의 지문이 채취된다.

2 기록: 그것의 첫 기록은 1500년을 거슬러 올라간다.

3 구별하다: 인간과 다른 생물을 구별하는 것은 무엇인가?

4 지문: 어떻게 지문이 개인을 식별할 수 있는 믿을만한 방법인가?

5 추가하다: 스위스 식품회사가 그것에 분유를 추가했다.

1 ⑤   **2** ①   **3** ④

본문해석

발렌타인데이 하면 뭐가 떠오르는가? 아마 초콜릿일 것이다! 사실 초콜릿은 모든 사람을 육체적으로나 정신적으로 더 행복하게 만들어준다. 초콜릿의 나이가 얼마 정도 되었다고 생각하는가? 답은, 글쎄, 아무도 확실하게는 모른다는 것이다! 처음으로 기록된 것은 1,500년 전으로 중앙아메리카로 거슬러 올라가는데, 카카오나무를 재배하기에 기후도 알맞았고, 지금도 여전히 알맞은 곳이다. 오늘날 우리가 알고 있는 초콜릿은 1847년에 영국에서 시작되었는데, 그곳에 있는 한 식품회사가 코코아 분말에 설탕, 코코아 버터, 물을 넣고 섞어서 세계에서 제일 첫 번째의 초콜릿바를 만들었다. 몇십 년이 흐른 1875년에 스위스 식품회사가 여기에 분유를 넣어서 세계 최초의 밀크 초콜릿을 만들었다. 어떤 사람들은 이것이 초콜릿 맛에 있어서 커다란 발전이었다고 생각하고, 또 다른 사람들은 초콜릿에 우유를 넣으면 고유의 맛이 덜하고 맛이 떨어진다며 반대한다.

문제 해설

1 이 글은 초콜릿이 처음으로 기록된 1,500년 전 중앙아메리카를 언급하기 시작해서 오늘날 우리가 즐겨먹는 밀크 초콜릿이 만들어지기까지의 과정을 설명하고 있다. 따라서 이 글의 주제로 적절한 것은 ⑤이다.

2 1847년 영국의 한 식품회사에서 코코아 분말, 설탕, 코코아 버터, 물을 섞어 세계 최초로 초콜릿바를 만들었다고 하므로 정답은 ①이다.
  ① 영국 ② 미국 ③ 중앙아메리카 ④ 스위스 ⑤ 가나

3 스위스는 처음으로 분유를 첨가해서 밀크 초콜릿을 만들었으므로 정답은 ④이다.

직독 직해

1 사실 / 초콜릿은 / 돕는다 / 모두가 / 더 행복해지도록 / 육체적으로나 정신적으로
  → 사실 초콜릿은 모든 사람을 육체적으로나 정신적으로 더 행복해지도록 돕는다.

2 초콜릿은 / 오늘날 우리가 알고 있는 / 영국에서 시작되었다 / 1847년에
  → 오늘날 우리가 알고 있는 초콜릿은 1847년에 영국에서 시작되었다.

3 다른 사람들은 / 반대한다 / ~라고 말하면서 / 그것은 고유의 맛이 덜하고 / 맛이 떨어진다 / 그것이 섞일 때 / 우유와
  → 다른 사람들은 그것에 우유를 넣으면 고유의 맛이 덜하고 맛이 떨어진다며 반대한다.

1 ③   **2** ⑤

3 pattern, surface, form, unchanged, lifetime, identification

본문해석

영화, TV 시리즈 그리고 책을 보면 우리는 범죄자가 종종 어딘가에 지문을 남겨 경찰에게 체포된다. 어떻게 지문 개개인을 식별할 수 있는 믿을만한 방법인 것일까? 당신도 잘 알다시피 지문은 손가락을 싸고 있는 피부의 융선과 홈으로 형성된 자국이다. 지문은 당신이 태어나기 전에 모양이 형성되고 그 무늬는 평생 변하지 않는다. 놀라운 것은 세계 어디에서도 당신과 같은 모양의 지문을 가진 사람은 없다는 것이다. 지문에 있는 무늬는 임신 중의 영양, 혈압, 손가락의 성장속도 그리고 자궁에서의 위치와 같은 요인에 영향을 받는다. 이런 요인들이 사람이 똑같은 지문을 갖는 것을 불가능하게 만든다. 한국에서는 주민등록증을 발급할 때 지문을 찍는다. 미국에서는 체포될 때 지문이 자동지문식별시스템에 등록이 된다. 그러므로 지문은 개개인의 신원을 식별하는 많은 방법 중 하나이다.

문제 해설

1 지문 모양은 태어나기 전 태아의 영양상태, 태아의 혈압, 손가락 성장 속도, 자궁 내 위치 등의 영향을 받는다고 했다. 태아의 성별은 언급되지 않았으므로 정답은 ③이다.

2 지문이 서로 '똑같은' 사람은 없는 것은 태어나기 전 자궁에 있을 때 여러 가지 조건에 의해서 지문 모양이 형성되므로 두 사람의 지문이 '똑같은' 것은 불가능하다는 내용이 자연스럽다. 따라서 정답은 ⑤ the same(똑같은)이다.
  ① 기본적인 ② 다른 ③ 규칙적인 ④ 정상의

3 지문은 손가락과 끝부분 표면(surface)의 무늬(pattern)이다. 임신 중 요인들이 지문의 형성(form)에 영향을 주고 평생(lifetime) 동안 이것은 변하지 않는다(unchanged). 이것은 각자에게 고유하며, 특히 범죄자 식별(identification)의 수단으로 쓰인다.

직독 직해

1 그것들은 / 형성된다 / 당신이 태어나기 전에 / 그리고 / 변하지 않는다 / 당신의 평생 동안
  → 그것들은 당신이 태어나기 전에 형성되며, 평생 동안 변하지 않는다.

2 사람들은 / 지문을 찍는다 / ~할 때 / 그들이 / 발급받을 때 / 주민등록증을
  → 사람들은 주민등록증을 발급받을 때 지문을 찍는다.

3 지문은 / 많은 방법 중 하나이다 / 식별하는 / 개개인의 신원을
  → 지문은 개개인의 신원을 식별하는 많은 방법 중 하나이다.

03 | Origin
p. 99

1 ②	2 ②	3 ④

본문 해석

(B)

인간과 다른 생물을 구별하는 것은 무엇일까? 인간은 도구를 사용하고 불을 만들 줄 안다는 점에서 다른 생물과 구별된다. 초기 인류가 어떻게 불을 발견했는지는 아무도 설명할 수 없지만, 초기 인류가 불을 다룰 줄 알았다는 것을 보여주는 확실한 증거들이 발견되었다.

(A)

최초의 직립 보행인인 호모 에렉투스는 불을 다룰 줄 알았고 그것의 도움을 많이 받았던 것으로 보인다. 초기 인류에게 불은 무엇을 해주었을까? 그들은 불을 빛으로 사용했고 그래서 그들의 생활은 더 이상 낮에 한정되어 있지 않았다. 게다가 그것은 육식 동물들을 쫓아내 주었다.

(C)

불은 또한 익숙한 주거지를 떠나 새롭고 낯선 곳에 정착할 자신감을 주었다. 불은 그들이 동식물을 익혀먹을 수 있게 해서 더 소화가 잘 되는 음식을 만들 수 있었고 식물의 독소를 제거할 수도 있었다. 그 결과 불을 만들고, 다루고, 사용하는 인간의 능력은 인류의 발달에 획기적인 사건이었다.

문제 해설

1 (B)는 초기 인류가 최초로 불을 발견했다는 증거가 있다는 내용으로 보아 가장 먼저 나와야 한다. (A), (C)에서 인류가 불을 어떻게 활용했는지 소개하고 있다. (C)는 Fire also gave them the confidence로 시작하는 것으로 보아, (A) 다음에 (C)가 나와야 한다. 따라서 자연스러운 순서는 (B) – (A) – (C)이다.

2 이 글에서 불은 어둠을 밝히고, 음식을 조리하고, 맹수를 쫓아내고, 기존 정착지를 떠나 새로운 곳에 정착하는 것을 가능하게 했다고 언급했지만, 불 덕분에 추위를 피할 수 있었다는 내용은 없다. 따라서 정답은 ②이다.

3 이 글은 초기 인류가 도구를 사용하고 불을 다룰 줄 알아서 다른 생물보다 발달할 수 있었던 내용을 다루고 있다. 따라서 인간과 다른 종의 차이점을 바르게 설명하는 ④가 정답이다.
질문: 지문에 따르면 인간과 다른 종의 차이점은 무엇인가?
① 그들은 밤에 사냥할 수 있는 능력이 있다.
② 그들은 독성 식물을 소화하는 데 문제가 없다.
③ 그들은 장소를 옮겨 다니는 것을 잘한다.
④ 그들은 불을 다룰 수 있고 도구를 사용할 수 있다.
⑤ 그들은 서서 걷고 뛸 수 있다.

직독 직해

1 그들의 활동은 / 더 이상 ~하지 않았다 / 제한된 / 낮 시간에
→ 그들의 활동은 더 이상 낮 시간에 국한되지 않았다.

2 아무도 ~없다 / 설명할 수 있다 / 어떻게 / 초기 인류가 / 불을 발견했는지
→ 초기 인류가 어떻게 불을 발견했는지는 아무도 설명할 수 없다.

3 불은 / 또한 주었다 / 그들에게 / 자신감을 / 떠나게 할 / 그들의 익숙한 주거지를
→ 불은 또한 그들에게 익숙한 주거지를 떠나게 할 자신감을 주었다.

Words Review
p. 100

1 climate	2 disagree	3 criminal
4 upright	5 predator	

1 기후
2 반대하다
3 범죄자
4 직립의
5 포식자

UNIT 10

독해탄탄 VOCA Check 1
p. 102

01 신체 기관 / 보호하다 / 두개골 / 세포 / 반대의
신경 / (수를) 세다 / 자극하다 / 계산하다 / 운동

02 칭찬하다 / 지적인 / 불쾌한 / 중독 / 불안해하는, 열망하는
포기하다 / 알코올, 술 / 도박 / 경고, 주의 / 공허

03 똑똑한 / 교활한 / 처벌 / 거절하다 / 우주
굴리다 / 낙담한 / 꼭대기 / 반복하다 / ~을 놀리다

독해탄탄 VOCA Check 2
p. 103

1 summit	2 Calculate	3 refuse
4 organ	5 unpleasant	

1 정상: 시시포스는 산 정상까지 바위를 굴려야 했다.

2 계산하다: 당신이 어디 있든 무언가를 계산하고 수를 세어 보아라.

3 거절하다: 시시포스는 우주의 질서를 존중하는 것을 거절했다.

4 장기: 뇌는 인간의 가장 중요한 장기 중 하나이다.

5 불쾌한: 늘 스마트폰을 이용하는 것에는 불쾌한 부작용이 있다.

1 ②　　　　**2** ⑤

3 익숙하지 않은 주제를 다룬 책을 읽는 것

본문 해석

뇌는 인간의 신체 기관 중에 가장 중요한 것 중 하나이며 그것은 딱딱한 두개골로 보호를 받고 있다. 그것은 좌뇌와 우뇌 두 부분으로 나뉘며 신체의 다른 기능을 통제하는 수많은 신경 세포를 포함한다. 게다가 그것은 기억, 감정, 언어 그리고 학습을 조절하며 식사, 수면, 그리고 심장 박동 수와 같은 기본적인 기능을 통제한다. 사실, 그것은 당신 신체의 지휘관이다. 그렇다면 당신은 어떻게 뇌를 좀 더 효과적으로 작동하게 할 수 있을까? 당신이 어떻게 사느냐에 따라서, 당신의 뇌는 더 효과적으로 작동할 수도, 덜 효과적으로 작동할 수도 있다. 먼저, 크로스워드나, 스도쿠 퍼즐, 또는 체스와 같은 게임을 하라. 그것들은 당신의 뇌의 속도와 기억력을 개선하는 데 도움을 준다. 둘째, 여러분이 왼손잡이라면 반대 손을 사용하려고 노력하라. 그것은 당신이 보통 사용하지 않는 뇌의 부분을 자극하는 데 도움을 준다. 세 번째는, 당신이 어디에 있든 어떤 것을 계산하거나 수를 세어보아라. 당신이 수와 관련된 무언가를 할 때 당신의 뇌의 여러 부분이 활성화된다. 마지막으로 완전히 새 주제를 다루는 책을 골라서 읽어라. 그것은 당신의 뇌에 운동이 될 것이다.

문제 해설

1 두뇌는 두개골의 보호를 받고, 좌뇌와 우뇌로 나뉘고, 기억, 감정, 언어, 학습 및 신체의 움직임과 기능을 통제하는 기능이 있다. 또 퍼즐, 체스, 평소에 잘 쓰지 않는 손 쓰기, 익숙하지 않은 주제의 책 읽기 등은 두뇌를 강화하는 데 도움을 준다. 나이에 따른 뇌의 변화는 언급되지 않았으므로 정답은 ②이다.
　① 무엇이 우리의 뇌를 보호하는가?
　② 나이가 들면서 뇌에 무엇이 일어나는가?
　③ 뇌는 몇 개의 부위가 있는가?
　④ 뇌는 어떤 기능을 가지고 있는가?
　⑤ 뇌를 개선하기 위해 무엇을 할 수 있는가?

2 평소에 쓰지 않는 손을 쓰면, 평소에 잘 사용하지 않는 뇌의 부분이 활성화된다고 했다. 이는 뇌를 균형적으로 사용하라는 말이므로 정답은 ⑤이다.

3 ⓑ It은 바로 앞 문장 내용으로, 완전히 새로운 주제를 다룬 책을 읽어보라는 내용이다.

직독 직해

1 무엇을 / 당신이 할 수 있을까 / 만들기 위해서 / 뇌를 / 더 잘 작동하게
　→ 당신은 어떻게 뇌를 좀 더 효과적으로 작동하게 할 수 있을까?

2 ~에 따라 / 여러분이 어떻게 사는지 / 여러분의 뇌는 / 작동할 수 있다 / 더 좋게 혹은 더 나쁘게
　→ 당신이 어떻게 사는지에 따라, 뇌는 더 좋게도 혹은 더 나쁘게도 작동할 수 있다.

3 어떤 것을 계산해라 / 아니면 / 수를 세라 / 당신이 어디 있든지
　→ 당신이 어디 있든지 어떤 것을 계산하거나 수를 세라.

1 ③　　　　　　　**2** side effects

3 checking

본문 해석

스마트폰은 종종 놀라운 지적 도구로 칭송받는다. 하지만, 최근 우리는 온종일 스마트폰을 사용하는 것의 유래하지 않은 부작용을 인식하게 되었다. '중독'이라는 말은 '너무 강해서 포기할 수 없는 습관'을 정의하는 데 쓰인다. 사람들은 커피, 알코올에서부터 도박, 일까지 여러 가지에 중독된다. 하지만, 사람이 스마트폰에도 정말 중독될 수 있을까? 주의 징후는 다양하며 다음 내용의 어떤 것이라도 포함할 수 있다.
　– 인터넷에 접속하지 않으면 공허감을 느낌
　– 스마트폰을 사용하는 시간을 통제하지 못함
　– 스마트폰으로 놀려고 아침 일찍 일어나거나 늦게 잠자리에 듦
　– 가는 곳 어디에나 스마트폰을 챙겨가고 항상 확인하기를 열망함
　– 문자메시지를 한 시간이라도 확인하지 못하면 불안해함
　– 한 번도 만나본 적이 없는 SNS 친구를 가장 친한 친구로 여김

문제 해설

1 이 글의 후반부에 스마트폰 중독을 확인할 수 있는 징후들을 나열하고 있다. ①은 3번째 항목에, ②는 첫 번째 항목에, ④는 마지막 항목에, ⑤는 네 번째 항목에서 확인할 수 있다. 하루에 정해진 시간에만 SNS 활동을 하는 것은 시간을 통제하며 올바르게 스마트폰을 사용하는 것이므로 중독 증상과 거리가 멀다.

2 side effects(부작용): 어떤 행동이나 사건이 야기한 예기치 않은 결과

3 check(확인하다)는 동사인데, 앞에 전치사 without이 있으므로 동명사 checking으로 고쳐야 한다.

직독 직해

1 스마트폰은 / 종종 칭송받는다 / ~로서 / 놀라운 지적 도구(라고)
　→ 스마트폰은 종종 놀라운 지적 도구라고 칭송 받는다.

2 사람들은 / 중독된다 / 다양한 것에 / 커피와 알코올부터 / 도박과 업무에 이르기까지
　→ 사람들은 커피와 알코올부터 도박과 업무에 이르기까지 다양한 것에 중독된다.

3 주의 징후는 / 다양하다 / 그리고 / 포함할 수 있다 / 다음 내용의 어떤 것이라도
　→ 주의 징후는 다양하고 다음의 어떤 것이라도 포함할 수 있다.

03 | Myth
p. 109

1 made, broke   2 ①

3 roll, summit, repeat, modern, routines, meaningful

가장 무서운 벌은 무엇이라고 생각하는가? 영원히 계속되는 벌은 어떨까? 그리스 신화에 따르면, 시시포스는 영리했지만 교활한 사람이었고, 신들을 조롱하고 규칙을 어겼으며 우주의 섭리를 따르기를 거부했다. 그에 대한 벌로, 신들은 그에게 영원히 커다란 바위를 산꼭대기까지 굴려서 올리게 했고, 바위가 정상에 도달할 때마다 다시 아래로 굴러 떨어지는 것을 봐야 했다. 신들은 목적과 희망이 없는 노동보다 더 가혹한 형벌은 없다고 생각했다. 프랑스 철학자 알베르 카뮈는 그의 책에서 시시포스는 바위가 다시 굴러 내려갈 때마다 아마도 자신의 삶을 되돌아보았을 것이라고 말했다. 시시포스는 바위를 굴리는 운명이 자신의 삶의 새로운 의미라는 것을 알았다. 그는 운명을 받아들여 다시 산 아래로 내려갔다. 다시 바위를 밀어올리기 위해서 말이다. 인류를 시시포스와 비교해서, 카뮈는 현대인들의 생활도 시시포스의 삶과 다를 바 없다고 했다. 카뮈는 심지어 사람이 끊임없이 계속 반복되는 생활 속에서 삶의 의미를 찾아야 한다고 주장했다. 운 좋게도, 당신에게는 선택권이 있다. 당신은 바위가 굴러 내려가는 것을 보고 낙담하거나 포기할 것인가? 아니면 비록 오늘이 어제와 같은 날이 될지라도 새로운 열정으로 하루를 시작할 것인가?

1 Q: 시시포스가 벌을 받은 이유는?
A: 그는 신들을 조롱하고 우주의 법칙을 어겼다.
이 글 초반부에 언급된 making fun of the Gods, breaking the rules, and refusing to respect the order of the universe 부분을 참고하자.

2 삽입 문장은 신들이 바위를 산 정상으로 끊임없이 굴려서 올리는 형벌을 선택한 이유를 설명하고 있으므로 적절한 위치는 (A)이다.

3 시시포스는 산 정상까지 커다란 바위를 굴려야(roll) 했지만, 그 바위는 정상(summit)으로 올릴 때마다 도로 아래로 굴러 떨어졌다. 그는 이 의미 없는 일을 영원히 반복(repeat)해야 했다. 카뮈는 시시포스의 운명에서 현대의(modern) 사람들의 삶을 보았다. 그에 의하면 우리는 죽을 때까지 반복적으로 일상생활(routines)을 해야 한다. 이것에 아무런 의미 있는(meaningful) 목적이 없어 보일지라도 말이다.

1 시시포스는 알았다 / 자신의 운명이 / 바위를 굴리는 / 새로운 의미라는 것을 / 자신의 삶의
→ 시시포스는 바위를 굴리는 자신의 운명이 자신의 삶의 새로운 의미라는 것을 알았다.

2 그는 아래로 내려갔다 / 산 / ~하기 위해서 / 그가 굴릴 수 있도록 / 바위를 / 다시 위로
→ 그는 바위를 다시 위로 굴리기 위해 산 아래로 내려갔다.

3 당신은 / 낙담해서 / 포기할 것인가 / 모습을 보고 / 바위가 굴러 떨어지는
→ 당신은 바위가 둘러 떨어지는 모습을 보고 낙담해서 포기할 것인가?

Words Review
p. 110

1 regulate	2 protect	3 anxious
4 fate	5 universe	

1 제어하다
2 보호하다
3 불안해하는
4 운명
5 우주

Workbook Answers p. 111~131

UNIT 01

A

1	단거리 경주	11	information
2	어구	12	language
3	규칙적인	13	all at once
4	강화시키다	14	damage
5	체조의	15	kidney
6	평범한, 보통의	16	position
7	물건	17	probably
8	고대의	18	happen
9	현상	19	form
10	자동차	20	keep an eye on

B

1 grade, learn, memorize, constant, review
2 cool, overheating, twist, crams, flexibility
3 heavily, tornado, pick up, contents, observed

UNIT 02

A

1	활력	11	improve
2	암	12	lower
3	인기 있는	13	down
4	방충제	14	likely
5	예방조치	15	spread
6	많은	16	medicine
7	부족하다	17	lonely
8	형편없는	18	condition
9	전체의	19	entirely
10	가능하게 하다	20	bury

B

1 strength, risk, contain, toxins, healthy
2 diseases, prevent, spread, outbreak, prescribe
3 emotional, supportive, financial, devote, mental, failure

UNIT 03

A

1	정확히	11	form
2	마차	12	simply
3	자동차	13	by the way
4	모습	14	species
5	썩은	15	last
6	줄기	16	weigh
7	내뿜다	17	bloom
8	가치	18	harmful
9	적어도	19	spoil
10	~ 사이에	20	fix

B

1 origin, shortened, powered, invented
2 tropical, roots, attaches, diameter, attract
3 hungry, snack, nutritional, unhealthy, appetite, diet

UNIT 04

A

1	방법	11	peel
2	문지르다	12	similar
3	조각	13	home remedy
4	공공의	14	electric
5	귀중한	15	continue
6	야기하다	16	exist
7	인기	17	historic
8	포함하다	18	continental
9	제안하다, 제공하다	19	generally
10	(얇게) 썰다	20	consist of

B

1 acne, remedies, soak, method, wrinkles
2 transportation, operate, passenger, expensive, preserved
3 breakfast, served, meal, hearty, limited

UNIT 05

A

1	전체의	11	unfamiliar
2	안전한	12	careful
3	그렇지 않으면	13	several
4	위험	14	cockroach
5	제거하다	15	nuclear
6	역겨운	16	inherit
7	태도	17	ultimately
8	수행하다	18	expectation
9	만족스럽지 않은	19	avoid
10	성과	20	experience

B

1 finds out, break down, junk, steal, destroy, delete, repaired
2 screaming, insects, survived, antennae, ability
3 positive, down, experiments, mistake, negative, discourage

UNIT 07

A

1	상황	11	solution
2	기꺼이 ~하는	12	hesitate
3	부탁하다	13	accomplish
4	준비된	14	expert
5	이용 가능한	15	sunken
6	모이다	16	still
7	징후, 표시	17	command
8	안전하게	18	charge
9	추가적인	19	hand
10	조사	20	loan

B

1 in time, work together, in need, hand, suggestions
2 saved, disaster, struck, drowned, lifeboats, evacuate
3 loan, valuable , safety, settle, interest, millionaire

UNIT 06

A

1	발포, 발사	11	grab
2	위안	12	escape
3	완전히	13	extremely
4	깨다	14	appetite
5	열다	15	tradition
6	새기다, 깎다	16	reward
7	되갚다	17	interview
8	지원자	18	vacant
9	제공하다	19	difficulty
10	완벽한	20	ride

B

1 confusion, bombs, injured, burning, frightened
2 celebrated, drew, choice, tattoos, express
3 puzzling, die, rescued, dreamed, coming up, remain

UNIT 08

A

1	대화	11	combine
2	체육관	12	various
3	크게	13	instead
4	~에 참여하다	14	antisocial
5	혼자서	15	recharge
6	활력 넘치는	16	nervous
7	귀뚜라미	17	experience
8	메뚜기	18	irritating
9	영양가 있는	19	stick to
10	~을 먹다	20	population

B

1 play, performance, regarded, various, languages, gymnasiums
2 uncomfortable, conversations, thoughts, outgoing, nervous
3 stung, harmful, diseases, destroy, reproduction

UNIT 09

A

1 육체적으로
2 확실히
3 기후
4 가루
5 범죄자
6 확인하다
7 영향을 주다
8 국한되다
9 맹수, 포식자
10 서식지
11 remind
12 record
13 provide
14 pure
15 fingerprint
16 reliable
17 pattern
18 apparently
19 confidence
20 reveal

B

1 mentally, dates back, mixed, improvement, disagree
2 captured, individuals, unchanged, pregnancy, impossible, identity
3 distinguishes, discovered, predators, familiar, digestible, ability

UNIT 10

A

1 두개골
2 신경
3 계산하다
4 반대의
5 지적인
6 알코올, 술
7 놀라운
8 꼭대기
9 끝없이
10 의미 없는
11 organ
12 compare
13 function
14 workout
15 unpleasant
16 anxious
17 habit
18 respect
19 passion
20 refuse

B

1 protected, regulates, commander, improve, stimulate, activated
2 side effects, addicted, warning, emptiness, nervous
3 punishment, universe, roll, labor, fate, discouraged

초등부터 중등까지
모든 독해의 확실한 해결책

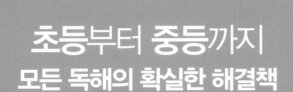

THIS IS
READING
Starter

★ Guess What? 코너를 통해 **창의성 개발과 함께 배경지식 확장**

★ 독해탄탄 VOCA Check 1, 2 코너를 통해 **독해 기초 탄탄 훈련**

★ 어휘를 쉽게 암기하고 오래 기억에 남게 하는 **이미지 연상 학습**

★ 독해를 잘하는 비법! 영어의 어순대로 공부하는 **직독직해 훈련**

★ 다양한 지문과 문제를 통해 **중등 내신 + 서술형 문제 완벽 대비**

★ 각각의 문제 유형 제시를 통한 **기초 수능 실력 완벽 대비**

★ Words Review 코너 및 영영풀이 문제를 통해 **기초 독해 실력 탄탄**

★ 원어민의 발음으로 듣는 전체 지문 **MP3 제공**